VINGTIÈME

Marie

LA CLÉ SUR LA PORTE

Notes et activités par

Lidia Parodi et **Marina Vallacco**

Professeurs certifiés de Langue et Littérature Françaises

Première édition : septembre 1993

10 9 8

Pour toute suggestion ou information la rédaction peut être contactée :
redaction@cideb.it
www.cideb.it

ISBN 88-7754-038 9

Imprimé en Italie par Litoprint, Genova

Introduction

L'auteur

Née à Alger en 1929, Marie Cardinal est issue d'un milieu bourgeois et catholique. Après avoir fait des études de philosophie et avoir travaillé comme professeur à l'étranger pendant quelques années, elle devient célèbre grâce à des romans tels que *La clé sur la porte*, *Les mots pour le dire*, *Autrement dit*, *Une vie pour deux*, *Cet été-là*, *Au pays de mes racines*.

L'œuvre

Dans ce récit à la première personne, Marie Cardinal nous livre l'itinéraire d'une mère dont le désir est de donner à ses trois enfants une éducation différente de celle qu'elle a reçue et qu'elle évoque souvent amèrement. Des incertitudes, des tâtonnements, le refus de certaines conventions, mais surtout une remise en question constante d'elle-même, vont lui permettre de rester à l'écoute de ses enfants à l'âge délicat de l'adolescence. Cependant, quand elle prend la décision de laisser en permanence la clé sur la porte, son appartement se transforme en un véritable refuge pour une série de jeunes en difficulté. Elle devient alors le témoin, la confidente, d'une jeunesse en plein désarroi.

J'AIMERAIS me jeter dans ces pages, ouvrir les vannes [1], que toute ma pensée épaisse s'écoule comme une lave, barbouille [2] les flancs du volcan et entre enfin dans la mer où elle se solidifierait ; loin de moi, loin de mon cœur qui, pour le moment, est gros à craquer [3].

Mes enfants me pèsent tant que, certains jours, furtivement, en cachette [4], j'ai envie de fuir, de tout planter là. Si je reste ce n'est pas pour faire mon devoir c'est parce que je sais que, une fois partie je ne profiterai pas de ma liberté, je ne trouverai pas une seconde de cette insouciance [5] dont j'ai tant envie. Je sais, par expérience, que je ne me reposerai que lorsque je les sentirai en paix, responsables d'eux-mêmes, heureux si possible. Je les aime.

Je les aime plus que moi-même et c'est pour cette raison que je suis souvent maladroite avec eux. Il arrive en effet que je manque de sommeil et de solitude à un point tel que je ne les comprends plus, je réponds alors ou j'agis brutalement. Inconsciemment je défends ma carcasse, je suis comme une bête traquée [6] qui donnerait des coups de corne à droite et à gauche, qui se mettrait à ruer [7] contre n'importe quoi, n'importe qui.

Je ferais mieux de me reposer régulièrement, de fermer ma porte, d'exiger un moment de chaque journée pour moi toute seule. Ce serait raisonnable. Je n'y arrive pas [8]. Je ne peux dormir que lorsqu'ils dorment tous les trois. J'ai toujours peur de passer à côté d'un moment important que l'un d'eux aurait vécu seul

1. **Vanne** (f.) : dispositif installé dans une canalisation pour en régler le débit.
2. **Barbouiller** : salir.
3. **Craquer** : se casser, se déchirer.
4. **En cachette** : en secret.
5. **Insouciance** (f.) : condition de quelqu'un qui n'a pas de soucis.
6. **Bête traquée** : bête poursuivie par le chasseur.
7. **Ruer** : (se référant à un animal) lancer vivement en l'air les membres postérieurs.
8. **Arriver à** : réussir à.

alors qu'il aurait eu besoin de moi. Je crains qu'une simple porte, une simple cloison [1], un simple sommeil m'éloigne d'eux mieux qu'une absence, mieux qu'une mort, mieux qu'une distance de milliers de kilomètres.

Quand j'étais petite fille ma mère s'enfermait dans sa chambre le soir et personne n'avait le droit de la déranger. Cela n'était pas imaginable. Je l'entendais bouger, faire sa toilette, allumer une cigarette, se mettre au lit. Elle lisait longtemps puis elle éteignait. Au début de la soirée elle était rentrée harassée par la fatigue [2] de la journée, elle avait mangé sur le pouce [3] dans la cuisine. Un baiser sur les deux joues — « Ça va ? » « Tu as bien travaillé ? » « Tu as encore perdu un bouton de ta blouse ? Il faut faire attention à tes vêtements je ne suis pas Crésus [4]. »

« Tu es pâlichonne [5]. Tu n'es pas malade au moins ? » « Bonsoir ma chérie je suis éreintée [6] je vais me coucher. Surtout que personne ne me dérange. N'oublie pas ta prière avant de dormir ma petite chérie. »

Devant moi une soirée puis une nuit entière avant que le soleil se lève et que je puisse retrouver mes amies à l'école. En attendant : l'ombre qui, si je ne m'endormais pas très rapidement, allait se peupler d'horreurs épouvantables. À commencer par le diable qui m'avait à l'œil et qui faisait un compte exact de mes péchés de la journée et puis les sorcières en masse, les fées carabosses en bataillons, les sales mères Mac Miche [7] en armées. Sans compter les bêtes mauvaises, les dragons, les serpents, les rats de la peste, les crapauds empoisonnés.

1. **Cloison** (f.) : mur léger limitant les pièces d'une habitation.
2. **Harassé par la fatigue** : très fatigué.
3. **Manger sur le pouce** (fam.) : manger rapidement.
4. **Crésus** : nom d'un ancien roi célèbre pour ses énormes richesses.
5. **Pâlichon** : un peu pâle.
6. **Éreinté** : épuisé, très fatigué.
7. **Fées carabosses, sales mères Mac Miche** : personnages de contes caractérisés par leur méchanceté.

Il y a longtemps, Dorothée, qui avait quatre ou cinq ans, s'était mise à crier dans la nuit. Immédiatement je courais dans sa chambre. Elle était assise dans son lit, couverte de transpiration, les yeux pleins d'une peur immense.

Je l'ai prise dans mes bras.

« Qu'est-ce qu'elle a ma petite chatte ? Tu as fait un cauchemar. Un mauvais rêve ? Raconte-moi ma belle grappe de raisin. Dis-moi ce que tu as vu. »

Elle était collée contre moi, son visage dans mon cou, son tout petit corps pelotonné [1]. J'allais dans ma chambre, dans mon lit.

« Qu'est-ce qui s'est passé ma toute petite caille, ma merveille ?

— Il y avait un renard qui courait derrière moi et il tournait comme une abeille. »

Allongées l'une contre l'autre. Elle, bien à l'abri de mon corps, de mes oreillers.

« Un renard qui tournait comme une abeille ! C'est épouvantable, ma fleur. Tu en as déjà vu des renards ?

— Oui, celui des Ibis dans sa cage.

— Et tu connais des histoires de renards ?

— Oui, Goupil et Ysengrin.

— Et ces abeilles, ma chatonne [2], parle-moi des abeilles.

— Elles piquent et Alain Adam il s'est fait piquer chez sa grand-mère et il a été bien malade et il a failli mourir [3].

— C'est terrible. Demain on parlera encore de tout ça, tu veux. Maintenant tu vas dormir avec moi. Ici il ne peut rien t'arriver. D'ailleurs pendant la nuit les abeilles dorment et le petit renard est dans sa cage — il ne peut pas en sortir. »

Elle dormait déjà en agrippant [4] un de mes doigts.

1. **Pelotonné** : blotti, ramassé sur soi-même, de sorte à occuper peu de place.
2. **Ma petite chatte, ma belle grappe de raisin, ma toute petite caille, ma chatonne** : expressions douces, de tendresse.
3. **Il a failli mourir** : il a risqué de mourir.
4. **Agripper** : serrer avec force.

Elle est jolie Dorothée, elle a des cheveux blonds, des yeux noisette, un grain de beauté [1] au coin de l'œil gauche, une fossette au milieu de chaque joue, de grandes jambes comme les branches d'un compas. Elle n'a pas encore fini de pousser. C'est la plus jeune de mes enfants.

J'en ai trois : un garçon et deux filles ; Grégoire, Charlotte et Dorothée. À la suite d'événements qui ne sont pas dramatiques je les élève seule. Mon mari vit de l'autre côté de l'océan Atlantique. Nous passons nos étés avec lui, là-bas ou ailleurs. Au cours de l'année il y a des allées et venues, surtout au moment de Noël et de Pâques.

Ici, en France, nous vivons tous les quatre. Je devrais plutôt dire tous les dix, tous les vingt. Je ne sais pas exactement à combien nous vivons dans cet appartement. En fait, je n'ai pas de maison, j'ai un quatre-pièces [2] qui appartient à mes enfants et à leurs copains dont le nombre est variable. Le centre du groupe est composé d'une douzaine d'adolescents, autour d'eux évoluent des « groupies ».

Au début, quand j'ai dit à mes enfants que leurs amis étaient les bienvenus, je l'ai fait parce que je ne connais rien de meilleur que l'amitié et je voulais que mes enfants profitent très vite de ses plaisirs et de ses lois. Le partage, l'échange, ce n'est pas si simple. L'amitié c'est une bonne école pour la vie.

Au départ, il s'agissait d'enfants très jeunes. Ils venaient de l'école communale en courant, entre les cours du matin et ceux de l'après-midi puis un peu plus longtemps après la sortie de quatre heures et demie. Des volées de moineaux [3]. La bicyclette, les patins à roulettes et la corde à sauter tenaient une grande place dans leur vie.

Un noyau [4] s'est formé avec ceux qui étaient les plus libres de leur temps. Soit qu'il n'y ait personne chez eux, soit qu'ils ne

1. **Grain de beauté** (m.) : petite tache brune sur la peau.
2. **Quatre-pièces** (m.) : appartement de quatre pièces.
3. **Moineau** (m.) : petit oiseau très commun.
4. **Noyau** (m.) : ici, petit groupe de personnes.

fussent pas très surveillés pour des raisons diverses.

Comme ils perdaient sans cesse la clé de la porte d'entrée, j'ai décidé de la laisser sur la serrure dans la journée.

Les années ont passé. Ces enfants sont maintenant des adolescents ; certains ont terminé leurs études secondaires. Beaucoup ne viennent pas du lycée. Ce sont des copains de copains : ils savent que la maison est ouverte. Il y en a qui restent, d'autres qui ne reviennent plus.

La clé est maintenant sur la porte jour et nuit.

Leur présence a bouleversé ma vie et j'en suis très heureuse. J'ai l'impression de vivre plus et mieux. Je ne suis plus du tout encombrée par les problèmes matériels secondaires. Je suis complètement soulagée des mondanités. La plupart de mes amis ont déserté les lieux. Ils sont violemment contre cette foule qui regarde, qui est là on ne sait pas pourquoi. En fait la vie est fruste [1] ici mais il fait chaud. On peut toujours dormir si on ne sait pas où aller et on peut toujours manger des œufs ou des nouilles [2] si on a faim. Les plus vieux ont vingt ans, les plus jeunes la quinzaine. Ils sont tous intéressants. Mais quelles responsabilités ! Quel printemps menacé !

Jamais il ne m'arrive d'avoir envie d'enlever la clé de ma porte mais il m'arrive d'être épuisée. Pas le temps de m'occuper d'eux vraiment, pas le temps d'écouter vraiment ou de chercher vraiment la communication.

GRÉGOIRE, mon fils unique, l'aîné de mes enfants, vient d'avoir dix-huit ans la semaine dernière. Il est cubique. Il n'est pas grand et son corps est large et puissant. Sur la tête lui vient une crinière blonde extrêmement frisée qu'il coiffe à « l'afro ». Quand il a commencé à laisser pousser ses cheveux c'était catastrophique. Ses boucles s'emmêlaient, il n'arrivait

1. **Fruste** : sans raffinement.
2. **Nouilles** (f.) : pâtes.

même pas à se brosser. On aurait dit un caniche [1] mal entretenu avec des boules de poils par-ci par-là.

« Si on mettait un pépin de raisin dans ta tête, je suis sûre que d'ici quelques mois il y pousserait de la vigne.

— Il n'est pas question que je touche à mes cheveux. »

Les sœurs étaient en admiration :

« Il a de beaux cheveux Grégoire. »

Il y avait des séances de démêlage qui duraient toute une matinée. À la fin il avait la peau du crâne rouge comme une tomate.

Tout cela c'est du passé. À force de chercher j'ai fini par trouver un produit qui démêle les cheveux. Nous les avons coupés en une boule de copeaux [2] dorés. C'est magnifique.

Peut-être que je parle beaucoup des cheveux de Grégoire pour éviter de parler du reste : il a du mal à trouver du travail. Depuis sa naissance il est la santé incarnée. Je ne me souviens pas de l'avoir vu avec un rhume. La seule maladie qu'il ait eue ce sont les oreillons, il avait quatre ans, il ressemblait à Guillaume Apollinaire, la bouche au milieu du visage, il pédalait comme un fou sur son tricycle dans la maison. Cela n'avait pas l'air de l'affecter du tout. Impossible de le faire se coucher. Il a toujours été un mauvais élève et depuis qu'il a neuf ans il veut devenir metteur en scène de cinéma. À cette époque il a eu l'occasion de regarder dans l'œilleton d'une caméra. Il est resté longtemps collé à l'appareil puis il s'est éloigné et il a déclaré :

« Ce qu'on voit par là, c'est plus beau que la vérité. »

Et puis cela a été dit une fois pour toutes :

« Je serai metteur en scène. »

Il a raison. Il a un œil et une pensée pour cela. Mais voilà, les places de stagiaire [3], même non payé, s'arrachent. Il fait des

1. **Caniche** (m.) : chien de compagnie à poil frisé.
2. **Copeau** (m.) : petit morceau d'une pièce de bois détaché par un instrument tranchant. Ici, boucle.
3. **Les places de stagiaire s'arrachent** : les places de stagiaire sont tellement recherchées qu'on se les dispute.

stages de montage. Pendant dix jours il est heureux comme un roi. Et puis plus rien. Il faut chercher, courir. Il n'a encore jamais travaillé sur un tournage. Il écrit des scénarios. Il aime être en famille. Il m'aime. Il ne s'en fait [1] pas apparemment mais je sais qu'il se ronge [2]. Heureusement il a la musique, la guitare, le banjo, les tablas [3]. Avec des copains ils ont fait un petit orchestre.

Cette période me semble interminable.

Grégoire est brutal et tendre et il a une capacité de dormir au milieu de tous les bruits qui est exaspérante.

Après Grégoire vient Charlotte qui va bientôt avoir seize ans. Elle est de taille moyenne et je crois qu'elle ne grandira plus. Elle a les plus beaux yeux du monde. Quand j'ai connu Jean-Pierre j'aimais tellement ses yeux que je voulais me perdre dans leur couleur. Je les regardais jusqu'à être fascinée par eux, je m'évanouissais dans du bleu et de l'or, dans des cryptes marines, dans les cieux du cosmos. Grégoire a les mêmes yeux que son père. Ceux de Charlotte sont encore plus beaux.

Si Charlotte voulait faire attention à elle, elle serait belle. Mais elle s'en fiche complètement. Certains jours on dirait une clocharde. Plus les vêtements sont fripés [4], déchirés, avachis [5], sales, et plus ils lui plaisent. Ses chaussures sont toujours éculées [6]. Elle échange ses vêtements neufs, quand elle en a, contre les vieilles nippes [7] de ses copines. Elle a tendance à grossir.

Elle est la poésie et la fantaisie mêmes. Elle aime la méditation mais elle n'est pas secrète. Elle invente, elle crée. Elle a le goût des mots. Si elle tombe sur un mot qu'elle ne connaît pas elle en cherche immédiatement la signification. Quand elle avait sept ans

1. **S'en faire** : s'inquiéter, se tourmenter.
2. **Se ronger** : se torturer, se faire du souci.
3. **Tablas** (m.) : petits tambours utilisés en Inde.
4. **Fripé** : froissé.
5. **Avachi** : déformé.
6. **Éculé** : usé.
7. **Nippes** (f. pl., fam.) : vêtements usés.

le mot « curriculum vitæ » lui plaisait particulièrement. Alors un jour elle a fait son propre curriculum vitæ :

« Je m'appelle Marie-Antoinette. En 1789 j'ai raté mon baquet à l'oreillard. Puis, en 1914, j'ai tué la République française. Signé : IDOLE. »

Elle n'est pas folle du tout. Elle a même un équilibre étonnant. Elle travaille normalement, parfois bien. Elle entre en seconde.

De mes trois enfants seule Charlotte est vraiment attirée par l'univers débile [1]. Univers que j'ai découvert cette année. Univers à cause duquel j'écris ces pages. Non pas pour témoigner mais pour essayer d'y voir clair, pour faire le point jour après jour.

Enfin vient Dorothée qui aura quatorze ans dans quelques jours. L'œil marron comme moi. Le cheveu blond et ondulé, le corps élancé. Sportive, nette, rigoureuse, tirée à quatre épingles [2], ravissante, excellente élève. Elle entre en troisième. Elle est née contestataire. Elle conteste tout systématiquement. Elle conteste la contestation. Je ne sais pas ce qu'elle deviendra mais je l'imagine facilement en jeune technocrate belle et intelligente, organisée, folle de design, de modes modernes, dans un intérieur bien rangé et super-cérébral. Elle est très secrète. Je suis certaine qu'elle a une vie intérieure mais je ne la connais pas. Elle peut lire pendant des heures et des heures, rester seule dans sa chambre. Elle pique des colères [3] terribles qui font trembler les murs et claquer les portes. Elle participe peu à la vie de son frère et de sa sœur qu'elle conteste évidemment. Elle a de la justice un sentiment aigu et sans nuances si bien qu'elle est capable de générosité et de mesquinerie : c'est juste que les gens soient absolument égaux, c'est injuste qu'elle fasse son lit si sa sœur n'a pas fait le sien... Il n'y a pas à discuter, elle manipule très bien la dialectique, elle ne lâche jamais le morceau quand elle le tient.

1. **Débile** : stupide ; mot très souvent utilisé par les jeunes, indiquant quelque chose de négatif.
2. **Tiré à quatre épingles** : habillé avec un grand soin.
3. **Piquer des colères** : avoir des accès de colère.

Les discussions avec elle sont épuisantes à cause de ses « c'est juste », « c'est pas juste », « c'est injuste ».

Et moi là-dedans, qu'est-ce que je fais ? Je suis leur mère. J'ai vingt-cinq ans de plus que l'aîné et vingt-neuf de plus que la plus jeune. Je les ai désirés très fort, tous les trois. Je n'en reviens pas encore d'avoir mis au monde des êtres humains aussi vivants, aussi beaux, aussi intelligents, aussi bêtes, aussi collants, aussi indépendants, aussi différents. Quand ils étaient dans mon ventre ils étaient des étrangers. Maintenant, plus ils grandissent et plus je me sens proche d'eux. Plus ils grandissent et moins je me sens responsable de leur corps. Plus ils grandissent et plus je me sens responsable de leur pensée.

Mon expérience, que je ne veux surtout pas exemplaire, m'a amenée à constater la faillite de l'éducation traditionnelle donnée dans une famille bourgeoise. Humainement parlant. (Matériellement c'est encore la meilleure recette de « réussite ».) Or je suis née bourgeoise et je ne connais vraiment bien que la vie bourgeoise. Même si je deviens une ouvrière ou une paysanne, je serais une bourgeoise. Mon mari aussi. Nos enfants sont des enfants de bourgeois. Comment les rendre libres sans en faire des gauchistes de luxe ou des militants à la Baden Powell [1] ? Comment les installer dans leur vraie peau et leur permettre de choisir ?

La suppression des clés sur les portes a été mon premier geste. Je ne savais pas que cela m'entraînerait aussi loin. Je croyais supprimer le culte de la propriété et c'est la vie des adolescents qui est entrée : confuse, multiple, simple, vraie, dure. Je suis la seule adulte. D'un jour à l'autre je passe de l'abattement à la joie, de l'espoir au désespoir, du doute à la confiance.

Essayer de ne rien imposer mais de participer. Pourtant je dois sans cesse tenir compte du fait que ma voix n'est jamais égale à une des leurs. Car je suis d'une part une adulte, d'autre part celle qui, matériellement, assure leur réunion, c'est-à-dire celle qui va dans la société gagner l'argent permettant de payer le loyer et

1. **Baden Powell** : fondateur du scoutisme.

d'acheter des nouilles, et enfin, en ce qui concerne mes enfants, je suis leur mère. Concept qui, malgré tous mes efforts, continue à s'apparenter par moments à celui qu'on leur montre à l'extérieur.

Quand Dorothée était en septième [1] elle a eu comme sujet de composition française : « Faites le portrait de votre mère. » Elle racontait sur une page que sa mère avait les cheveux gris tirés en chignon et que, au retour de l'école, on la trouvait en train de tricoter au coin de la cheminée.

« Pourquoi as-tu raconté ça ?

— Parce que la maîtresse aimera mieux ça que si je lui dis que tu conduis la voiture à toute vitesse et que tu travailles dans la publicité avec des gens marrants [2].

— Et toi, tu aimerais avoir une maman comme ça ?

— Oh ! ben non, j'sais pas. »

Elle ne savait plus. Elle commençait à trouver que sa famille n'était pas très normale et peut-être en avait-elle honte.

1. **Septième** (f) : dernière année de l'école primaire.

2. **Marrant** (fam.) : drôle, amusant.

Découvrons ensemble ...

... qui raconte

- Soulignez la phrase qui vous fait tout de suite comprendre que le narrateur est une femme. Quel est le mot qui vous a permis d'arriver à cette conclusion ? Justifiez votre réponse.
- Qu'est-ce que vous savez à propos de la narratrice dès la toute première page ? Soulignez la phrase où elle vous parle de sa vie.
- Quels sont les événements qui alternent avec ses réflexions ? À quand ces événements se réfèrent-ils ?

Événement	Période

... qui compose la famille de la narratrice

- Qui est Dorothée ? Est-ce qu'on vous le dit ou est ce qu'on vous le laisse déduire ?
- Où vit le mari de la narratrice ? Qu'est-ce que vous savez à propos de cette séparation ?

- Au fur et à mesure que vous lisez, pour chacun des membres de la famille, remplissez cette grille. Attention, quelques cases peuvent ne pas avoir de réponse !

	Profession	Âge et aspect physique	Caractère
Narratrice			
Mari			
Grégoire			
Charlotte			
Dorothée			

... où se déroule l'histoire

- Où habite la narratrice ? Avec qui habite-t-elle ?

... le thème principal du livre

- Soulignez la phrase qui explique le titre du roman et la raison pour laquelle la narratrice a décidé de laisser la clé sur la porte.
- Les conséquences de la présence de la clé. Parmi les affirmations suivantes, choisissez celle qui correspond au sens du texte.

  Avec la clé sur la porte, la narratrice
  - ☐ se sent menacée.
  - ☐ est contente de son choix même si sa vie en a été troublée.
  - ☐ est contente car sa vie en a été simplifiée.

La clé sur la porte permet
- ☐ à n'importe qui d'entrer dans l'appartement.
- ☐ aux enfants de rentrer tard le soir.
- ☐ aux collègues de la narratrice d'entrer quand ils veulent.

La narratrice pense que les gens qui entrent librement dans l'appartement sont
- ☐ ennuyeux.
- ☐ intéressants.
- ☐ marrants.

- Quel est l'âge des adolescents qui fréquentent l'appartement ?
- Comment la narratrice les définit-elle ? Qu'entend-elle par « printemps menacé » ?
- Soulignez la phrase dans laquelle l'auteur dit explicitement ce qui la pousse à écrire ce livre.
- À quelle classe sociale appartient-elle ? Pourquoi ce fait explique-t-il son attitude envers l'éducation de ses enfants ?

Analysons le récit

- De quel type de récit s'agit-il ?
  - ☐ À la 1ère personne du singulier.
  - ☐ À la 3e personne du singulier.
  - ☐ À la 1ère personne du pluriel.
- Quels sont les temps que la narratrice utilise ?
  - Pour exprimer ses pensées.
  - Pour raconter des événements.
- Retrouvez les quatre subdivisions qui composent cette première partie du roman et donnez-leur un titre.

Discutons ensemble

1. Que savez-vous du rapport que la narratrice a eu avec sa mère ?
2. Que pense-t-elle de l'éducation traditionnelle ?
3. Quel rapport cherche-t-elle à établir avec ses enfants ?
4. Et vous, quel rapport entretenez-vous avec vos parents ?
5. Est-ce que l'idée d'une clé sur la porte jour et nuit vous paraît acceptable ?
6. Quel est, à votre avis, le thème principal que la narratrice va développer ?

Mots à retenir pour ...

... décrire son entourage

En cachette — Avoir envie de
Il arrive que — Manquer de — Ruer
Éreinté — Arriver à — Craindre
N'oublie pas — Quatre-pièces — S'en faire
Se ronger — Bouleverser — Débile
Marrant — Profiter de

- À l'aide des mots que vous venez d'apprendre et des pages que vous avez lues, décrivez votre entourage en imaginant que vous êtes un auteur qui doit écrire la première page d'un roman sur sa vie présente.

CHARLOTTE est maussade[1] depuis quelque temps. Exactement depuis qu'elle est entrée dans le groupe de Clamart. Une bande de garçons qui ont une grande qualité : ils sont beaux. Ça ne court pas les rues [2] et, à l'âge de Charlotte, cela n'est pas négligeable, je le comprends bien — au mien non plus du reste. Ce qu'il y a d'ennuyeux c'est qu'elle ne parvient pas à dissocier la beauté du reste. S'ils sont beaux ils sont bien. Or ils sont détestables. Une poignée de crevures [3], d'épluchures [4], contestant une société de laquelle ils ne savent pas se passer [5], vivant aux crochets de [6] leurs parents. Ils ont abandonné leurs études et font de petits boulots [7] de bureau ou de manutention, petits boulots qu'ils prennent aux jeunes ouvriers qui, eux, sont au chômage. Ce n'est pas difficile pour leurs parents de téléphoner à droite ou à gauche : « Dites donc j'ai un fils ou un neveu qui est un peu excentrique. Il cherche un petit emploi qui lui permettrait de gagner son argent de poche et de faire le point en attendant de reprendre ses études. » « Envoyez-le au chef du personnel, on va essayer d'arranger ça. Justement nous venons de trouver quelque chose pour le fils de... (suit le nom d'une comédienne très célèbre). » Ils y restent un mois, une semaine ou trois jours puis s'en vont.

Pendant tout ce temps ils critiquent la « débilité » des gens avec lesquels ils travaillent. Puis ils font un coup d'éclat [8] de princes et

1. **Maussade** : triste et peu aimable, se dit de quelqu'un qui a une humeur désagréable.
2. **Ça ne court pas les rues** : ce n'est pas fréquent.
3. **Crevure** (f., fam.) : déchet.
4. **Épluchure** (f.) : ce qu'on enlève à un fruit quand on le pèle. Ici, déchet.
5. **Se passer** : vivre sans.
6. **Vivre aux crochets de quelqu'un** : vivre aux frais de quelqu'un.
7. **Boulot** (m., fam.) : travail.
8. **Coup d'éclat** (m.) : action remarquable.

s'en vont raconter ça à papa et maman, ces débiles, qui sauront bien leur trouver autre chose, qui préfèrent garder leurs rejetons [1] dans n'importe quel état plutôt que de les voir partir sur les grandes routes.

Malgré la liberté et l'égalité apparentes qui règnent dans le groupe entre garçons et filles, les filles sont toujours des objets pour les garçons, comme pour leurs pères débiles. Ce sont des gosses [2] de riches qui se donnent des allures prolétaires [3] et qui agissent comme des réactionnaires. Ils se disent anarchistes. Ils parlent de Sacco et Vanzetti, mais leur anarchie à eux, c'est celle du luxe. Ce sont des individualistes, des égoïstes. Une communauté pour eux est un lieu où chacun fait ce qu'il veut. Quand il devient nécessaire d'établir une règle à l'intérieur du groupe, la communauté saute. Je ne connais pas beaucoup de communautés qui aient résisté au temps. Car ces gosses-là ne veulent pas vraiment la révolution. Ils ne veulent pas détruire une société pour en construire une autre. Ils sont des enfants gâtés [4] qui veulent faire ce qui leur plaît quand ça leur plaît.

Je n'aime pas que ma fille soit entrée dans ce groupe. Depuis qu'elle les voit elle a changé. Elle n'a plus de dynamisme, le lycée lui semble insupportable. Elle critique tout à la maison où pourtant n'importe qui peut entrer, manger, dormir, écouter de la musique. Je ne demande le nom de personne. Je ne parle que s'ils me parlent. D'ailleurs j'aime leur présence. Évidemment le groupe de Clamart ne met pas les pieds ici. Ils trouvent le système « débile ». Charlotte m'a dit, à propos de la maison : « Ici c'est une maison de passe. » Sachant très bien l'ambiguïté de sa phrase. Sachant très bien qu'une maison de passe veut dire un

1. **Rejeton** (m., fam.) : enfant.
2. **Gosse** (m., fam.) : enfant.
3. **Se donner des allures prolétaires** : se comporter comme des prolétaires.
4. **Enfants gâtés** : enfants dont on satisfait tous les désirs.

bordel (ce qui est faux — je n'en ai jamais trouvé en train de flirter — et ce qui me choque car elle sait que j'ai du respect pour les choses de l'amour). Sachant aussi que cela voulait dire un endroit où l'on ne fait que passer, où l'on ne s'arrête pas, un endroit qui n'a pas d'importance.

C'était la déclaration de guerre. Or il ne peut y avoir de guerre entre Charlotte et moi. Il n'y a absolument aucune raison pour que nous entrions en conflit. Simplement elle se conduisait comme une petite sotte. Elle imitait les copains qui tapent sur [1] les parents. Son agressivité était stupide, je le lui ai calmement fait remarquer. Charlotte m'inquiète.

D'où me vient cette inquiétude ? J'ai vu ma fille grandir. Bien qu'elle n'ait pas tout à fait seize ans, je ne la considère plus comme une petite fille et je comprends très bien qu'elle ait une vie personnelle et indépendante de la mienne, de celle de la maison. Elle est calme, raisonnable, réfléchie, elle a vraiment acquis à mes yeux le droit d'avoir sa vie. En même temps je sais qu'elle a encore besoin de moi, qu'elle est loin de posséder la mesure d'expérience et de connaissance qui permet de se battre ou même de se débattre.

Quand je la vois prendre un chemin je trouve cela poignant [2]. J'ai peur qu'on la blesse, qu'on la déçoive [3]. Rester sur le bord de la route, la voir s'éloigner est torturant. La certitude pourtant qu'il faut qu'elle y aille seule.

Quand elle allait avoir quatorze ans, pour les vacances du 1er mai, elle a passé quelques jours en Avignon avec son frère. Là elle a rencontré Alain, un des copains de Grégoire, et ils sont tombés follement amoureux l'un de l'autre. Elle est rentrée à Paris habitée par cet amour, elle planait [4], elle était heureuse. Ils

1. **Taper sur** : ici, critiquer, dire du mal de.
2. **Poignant** : déchirant, causant une impression pénible.
3. **Décevoir** : ne pas satisfaire les espoirs de quelqu'un.
4. **Planer** : ici, se sentir très bien. Ce verbe peut être aussi utilisé pour indiquer l'état de quelqu'un qui éprouve une sensation de sérénité et d'indifférence, surtout après absorption de drogue.

ont commencé à s'écrire. Je n'osais pas trop intervenir ou si je le faisais c'était sur le ton de la plaisanterie. D'elle-même elle me racontait un peu son histoire. En cachette, pendant qu'elle était au lycée, j'ai lu des lettres du garçon. Elles étaient gaies, honnêtes, respectueuses. Alors j'ai été moi-même folle de joie, je sentais que c'était un bon morceau du gâteau qu'elle avait pris. Le problème était que Grégoire avait invité Alain à passer l'été au Canada avec nous. Là-bas les enfants sont libres. Le pays est immense, vide. C'est l'endroit rêvé pour le camping, les randonnées. Cette année Charlotte allait mener cette vie qu'elle a toujours aimée avec un garçon dont elle était amoureuse.

Physiquement elle était une femme faite. Son corps de petite fille s'était complètement effacé au cours de l'année. Ses seins avaient fini de pousser, elle ne grandissait plus.

J'ai longtemps tourné autour du pot [1] puis je lui ai parlé.

« Tu sais que tu vas vivre deux mois au Canada avec Alain, que tu y seras très libre et que je ne t'empêcherai pas d'être libre comme avant. Que crois-tu qu'il va se passer ? »

Elle me regarde de ses très beaux yeux clairs avec attention et amusement.

« Et toi qu'est-ce que tu crois qu'il va se passer ?

— Eh bien, je crois que tu vas faire l'amour avec Alain.

— Je le crois aussi.

— Cela ne me choque pas. Je le comprends même très bien. Je ne connais pas ce garçon mais, en cachette de toi, j'ai lu une ou deux des lettres qu'il t'envoie. Il me plaît. Je n'irai pas te poser de questions ni t'ennuyer. Mais tu sais qu'en faisant l'amour tu risques d'avoir un enfant.

— Oui, justement.

— Est-ce que tu aimerais voir un docteur ?

— Oui, mais si tu viens avec moi.

— D'accord. »

Je prends rendez-vous et explique par téléphone au gynécologue

1. **Tourner autour du pot** : ne pas dire tout de suite ce que l'on veut dire.

la raison de ma visite.

Quand on appelle le nom de ma fille je reste assise dans la salle d'attente.

Elle me tire par le bras.

« Je n'irai pas seule, viens avec moi. »

Nous voilà toutes les deux en face du médecin qui commence à parler, à poser des questions. Charlotte intimidée répond par monosyllabes. J'avais parlé d'une fille tout à fait mûre, capable, et c'est une petite fille de quatorze ans à peine qui se tient là dans un fauteuil à écouter un gynécologue parler de la vie sexuelle, de ses organes sexuels à elle. C'est un peu choquant, le docteur en prend conscience et me regarde par moments d'un air de dire : « Vous êtes folle, elle est trop jeune. »

Finalement nous faisons tout ce qu'il faut pour que Charlotte ait les pilules qui lui conviennent.

Quelques jours après je prends le bateau, les enfants l'avion cinq jours plus tard, si bien que nous arrivons ensemble de l'autre côté de l'Océan. Je suis à l'aéroport pour les accueillir tous à la descente de leur charter. Je rencontre Alain pour la première fois, je le trouve beau et intéressant, extrêmement plaisant. Il s'agrippe à [1] sa guitare comme à un radeau [2]. Il a dix-huit ans.

Jamais au cours de l'été je n'ai essayé de les épier. Je n'ai pas posé une question, pas cherché à savoir ce qu'ils faisaient. Eux, avec la pudeur des jeunes, se tenaient parfaitement bien, aucun exhibitionnisme. Charlotte ne m'a pas dit un mot.

Retour à Paris je me rends compte rapidement que leur histoire n'est plus passionnée. Elle a même l'air d'être terminée. Les lettres sont rares. Charlotte n'est ni excitée, ni anxieuse, toujours silencieuse avec moi.

Finalement un jour je mets les pieds dans le plat [3].

1. **S'agripper à** : s'accrocher à.
2. **Radeau** (m.) : plate-forme de pièces de bois liées ensemble de façon à pouvoir servir d'embarcation de fortune.
3. **Mettre les pieds dans le plat** : intervenir maladroitement.

« Où en es-tu maintenant avec Alain ?

— C'est fini.

— Comment se fait-il ? »

Elle fait un geste du bras comme pour dire : « Je ne sais pas, c'est la vie. » Elle n'a l'air ni triste ni désabusée [1].

« Est-ce que tu as fait l'amour avec lui ?

— Non, penses-tu, je ne suis pas encore mûre pour ça. »

Elle m'a dit cela si paisiblement, avec une telle sagesse que j'en ai été bouleversée.

C'est à cause de faits comme celui-là que je pense que Charlotte a le droit d'avoir une vie à elle.

Pourtant aujourd'hui, un an et demi après, je me fais du souci pour elle.

Entre-temps j'ai eu peur de la drogue. Je pensais que sa nature rêveuse serait un bon terrain pour la drogue. Je crois qu'elle est passée à côté sans se faire prendre.

Si je déteste en partie cette bande de Clamart, c'est que je sais qu'ils se droguent, ils entraînent les filles derrière eux. Il fut un temps où ils allaient jusqu'à leur faire sniffer de l'héroïne. Charlotte les a connus après cette période. Je sais qu'elle a fumé de l'herbe et elle-même m'a dit un jour : « Fumer c'est vraiment rien, ça n'apporte rien. »

Il reste maintenant cette vacuité vertigineuse, cette indifférence à tout ce qui n'est pas eux, cette paresse. Ces garçons ont entre dix-huit et vingt ans. Ils sont pour la plupart des enfants de bourgeois riches. Les parents laissent faire. Ce sont des garçons. Les filles n'ont qu'à être tenues, si les parents les laissent libres tant pis pour eux. Leurs fils ont besoin de faire leurs griffes [2].

Ces fils à papa gâtés ont décidé que faire des études c'est débile. Certains ont passé leur bachot [3], d'autres pas. Ils ont

1. **Désabusé** : désenchanté, qui a perdu ses illusions.
2. **Griffe** (f.) : ongle pointu de certains animaux. Ici, leurs fils ont besoin de faire leurs griffes : ils ont besoin d'avoir des expériences.
3. **Bachot** (m., fam.) : baccalauréat.

abandonné en terminale. Maintenant qu'ils font par moments de petits boulots, cela leur donne, croient-ils, le droit de parler des ouvriers. Tout cela me parait être d'un snobisme, d'une hypocrisie tout à fait scandaleux. Ils sont tous en rébellion contre leurs parents mais pourquoi continuent-ils à aller chez eux, à se laisser nourrir, loger et habiller ?

Les trois ou quatre garçons qui forment le noyau central de la bande de Clamart, les propriétaires, les mécènes, les patrons du harem, ont décidé l'année dernière de travailler et de mettre leurs gains de côté pour se payer un voyage en Afrique. Ils partiraient, déambuleraient, couperaient les amarres [1]. Cette décision les a rendus admirables : ils sortaient de leur condition bourgeoise, ils allaient devenir des ouvriers ou des vagabonds, ils seraient libres.

Cela dit et les mois passant, il n'y en a qu'un qui travaille réellement. Les autres font semblant [2] de chercher du boulot et attendent de leurs parents le gîte [3], le couvert et l'argent de poche. On leur a donné un garage qu'ils aménagent à leur idée.

Le voyage en Afrique qui était une réalité il y a un an est devenu un mythe et même un sujet de rigolade pour les satellites. Mais pour entretenir cette pensée aussi bien dans leur esprit que dans celui de leur cour, ils se font faire des piqûres contre le choléra, la fièvre jaune, etc. Il y a eu les piqûres puis les rappels de piqûres.

L'événement revient à intervalles réguliers :

« Ils ont eu leur rappel, ils sont fatigués. »

Cela veut dire que les filles doivent aller chez eux avec des cigarettes, qu'elles doivent les distraire, être dociles et les servir. Ils vont partir, ils vont partir c'est sûr. Les autres resteront à croupir [4] dans leur médiocrité. Ce sont des héros.

Ainsi se resserrent, au cours des mois, les liens entre les

1. **Amarre** (f.) : cordage qui sert à retenir un navire.
2. **Faire semblant** : faire comme si, feindre.
3. **Gîte** (m.) : maison, logement, lieu où l'on peut loger.
4. **Croupir** : demeurer dans un état pénible.

égéries [1] et les aventuriers putatifs du garage de Clamart. Ce qui est le plus enrageant c'est de voir ces pauvres filles participer aux manifestations du MLF [2].

Ce matin Françoise est arrivée à Londres. Elle doit déjà être dans sa clinique. Je ne peux m'empêcher de penser à cette enfant de seize ans.

J'essaie de faire un effort pour ne pas me mettre, moi, à sa place, pour penser comme elle. Ce n'est pas facile. Les valeurs morales ont changé, les craintes, les avenirs aussi. Elle redoutait [3] ce séjour à Londres, cet avortement [4]. Sa position était beaucoup plus saine, plus vraie que celle que j'aurais eue à son âge. Pas de honte, pas de mystère. Seule la peur de ses parents ressemblait à ce que j'aurais pu éprouver. Par ailleurs, elle sait très bien ce qu'est un avortement physiquement, elle sait qu'elle a un enfant dans son ventre et qu'elle va le supprimer. Son angoisse avant de partir venait de là : un peu de peur physique et surtout la conscience qu'elle va se séparer d'un petit auquel elle tenait d'une façon instinctive, animale. Elle parlait de ce fœtus en employant le pronom personnel « Il » ce qui lui donnait une présence. Elle ne disait pas : « Dans l'état où je suis », ou : « J'en suis au deuxième mois », etc. Mais : « Il a deux mois maintenant. » « Quand il sera plus grand on ne pourra plus le faire partir. » Cela me touchait tant que j'ai plusieurs fois parlé avec elle.

« Tu tiens à cet enfant ?

— Oui.

— Pourquoi ne le gardes-tu pas ?

— Les vieux en mourraient.

1. **Égérie** (f.) : inspiratrice.
2. **MLF** : Mouvement de Libération de la Femme.
3. **Redouter** : craindre.
4. **Avortement** (m.) : interruption volontaire de grossesse. Pour indiquer une interruption involontaire, on utilise le mot *fausse couche*.

— S'il n'y a que cette raison, tu dois leur parler. Peut-être que ça va leur flanquer un coup [1] terrible pendant un moment puis ils s'en remettront et finiront par l'accepter. Tu ne peux pas te séparer de ton enfant, si tu y tiens vraiment, uniquement pour faire plaisir à tes parents. Ils t'aiment trop pour vouloir cela eux-mêmes. Quand vous parlez de vos parents vous oubliez souvent l'essentiel : ils vous aiment. Mal peut-être mais ils vous aiment.

— Il y a aussi que j'aurai d'autres enfants et que je préférerais avoir un enfant d'un homme que j'aime.

— Tu es sûre que tu n'aimes plus Simon ?

— Certaine. J'étais amoureuse folle de lui et depuis le jour où nous avons fait l'amour c'est fini complètement. Tout d'un coup je l'ai vu tel qu'il est. Il est idiot. Il est beau et il est idiot. »

Je ne sais plus comment Françoise est venue ici pour la première fois. Dans les coulisses [2] j'entendais dire qu'elle était enceinte. Était-ce vrai ou pas ? J'attendais qu'on m'en parle directement. Je me méfiais. J'avais appris qu'elle venait du groupe de Clamart. C'est Charlotte qui m'a officiellement mise au courant. Un matin. Cela arrive souvent que des conversations importantes aient lieu de bonne heure alors que je suis encore dans mon lit et que le moment de partir au lycée n'est pas encore venu. Comme si les choses qui leur pèsent trop n'étaient plus supportables et que le petit jour les poussait à venir s'asseoir au pied de mon lit et à décharger, dans ma journée toute neuve, leurs soucis.

« Tu sais Françoise ?

— Celle qui vient ici depuis quelques jours ? La blonde ?

— Oui, c'est ça. Eh bien elle croit qu'elle est enceinte.

— Quel âge a-t-elle ?

— Seize ans.

— Qu'est-ce qu'elle va faire ?

1. **Flanquer un coup** : ici, perturber, bouleverser.

2. **Dans les coulisses** : en cachette.

— C'est justement pour ça que je t'en parle. Elle ne sait pas.

— Elle ne peut pas en parler à ses parents ?

— C'est impossible. S'ils savaient ça !

— Il faut qu'elle voie un médecin d'abord pour savoir si c'est vrai ou pas vrai.

— Tu ne peux pas lui parler ?

— Bien sûr, si elle le veut. »

Elle est venue le lendemain. J'étais dans la cuisine occupée à éplucher des pommes de terre. Elle s'est assise sur la machine à laver et elle m'a expliqué qu'elle était enceinte. Je ne voulais pas le croire.

« À ton âge on est souvent mal réglée. Tu as du retard, c'est tout.

— Je t'assure que je suis enceinte.

— Mais qu'est-ce qui te fait dire ça ? Tu peux me raconter ce qui s'est passé ?

— Bien sûr, c'est pas compliqué. Voilà, moi j'étais amoureuse folle de Simon. Je l'avais rencontré au lycée et il m'a fait entrer dans le groupe de Clamart. J'étais folle dingue [1] de lui. Lui aussi il était amoureux de moi. À la fin de l'année, en juin, il m'a dit : « Cet été on ira ensemble dans la maison de mes parents, dans le Midi. » J'ai raconté des salades [2] aux parents et je suis partie. Les parents de Simon n'étaient pas là. Il y avait tous les copains du groupe. Simon et moi on dormait dans la même chambre, dans le même lit. Un grand lit très haut. Moi, je crevais [3] d'envie de faire l'amour avec lui. Eh ben ma vieille, tu peux me croire, il n'y est pas arrivé ! Pourtant ça a duré plusieurs semaines ce cinéma. On était excités tous les deux, il m'embrassait, il faisait noir. Il commençait à s'agiter. Mais alors, à s'agiter comme un fou ! Il était partout à la fois dans le lit, à la tête, aux pieds. Moi, je n'y comprenais rien, je m'attendais à ce qu'il se passe quelque chose. Je savais pas quoi faire. Et tous les soirs c'était pareil, j'entendais

1. **Dingue** : fou.

2. **Salade** (f., fam.) : histoire, mensonge.

3. **Crever** : mourir. Ici, crever d'envie : avoir très envie.

un grand bruit, c'était Simon qui se foutait par terre. Moi, à chaque fois, c'était plus fort que moi, j'attrapais le fou rire. Tu sais, j'étais tellement énervée et c'était tellement ridicule cette situation. Lui, ça le vexait que je rie, alors il s'en allait dormir ailleurs. À chaque fois je me disais : « Demain je ne rigolerai pas » mais je ne pouvais pas m'en empêcher. Quand on est rentré ici, on avait tout fait sauf l'amour. Et puis en octobre chez lui, dans sa chambre, il y avait tous les copains dans la maison et ses parents aussi, il s'est déshabillé, il m'a sauté dessus, il respirait fort, il m'a fait mal. Cette fois j'ai bien senti qu'il était allé plus loin. Il y a justement quelqu'un qui a ouvert la porte de sa chambre à ce moment-là. Il a bondi hors du lit comme un diable, il a enfilé son pantalon et il est sorti. J'ai pensé que je n'étais plus vierge.

« Le pire c'est qu'on n'a plus jamais recommencé. On n'en avait plus envie, ni lui ni moi. D'un coup je n'étais plus amoureuse de lui, tu vois. Maintenant je suis enceinte. J'en suis sûre.

— Et ses parents, ils sont au courant ?

— Sa mère, oui, mais elle rouspète [1] parce qu'elle m'avait donné des pilules.

— Et tu ne les as pas prises.

— Si, je les ai prises. Mais elles me rendaient malade. C'était pas les pilules qu'il me fallait. Elle, elle m'a donné ce qu'elle avait sous la main. Alors comme il ne se passait rien et que j'en avais ras le bol [2] d'avoir mal au cœur [3] toute la journée avec ces sacrées pilules, j'ai arrêté de les prendre. »

J'ai essayé de savoir auprès des copains si cette histoire était vraie. Oui, elle l'était. Et c'était vrai aussi que Françoise était enceinte. Les analyses étaient positives. Ils se sont tous débrouillés pour trouver qui de l'argent, qui une adresse à

1. **Rouspéter** (fam.) : protester.
2. **En avoir ras le bol** (fam.) : en avoir assez.
3. **Avoir mal au cœur** : avoir la nausée.

Londres, qui des billets pour l'Angleterre au rabais [1]. Ils ne l'ont pas laissée tomber [2].

Françoise a un frère aîné qui est marié. J'ai pensé qu'il devait être mis au courant. C'était vraiment insensé de voir cette enfant partir seule pour l'Angleterre. Et s'il lui arrivait quelque chose !

Le frère a accepté de l'accompagner là-bas avec sa femme et de participer financièrement. Mais à condition de ne s'occuper de rien d'autre. Il était d'accord avec sa petite sœur : pour rien au monde les parents ne devaient apprendre quoi que ce soit.

Les jours passaient. Je ne voyais toujours pas partir Françoise.

« Qu'est-ce que tu attends ? Tu as changé d'avis ?

— Non, mais on sait pas parler anglais. On sait pas téléphoner à la clinique.

— Bon, je vais le faire. Tu aurais pu le dire plus tôt. Tu sais que tu ne dois pas traîner dans cet état. »

Je fais le numéro. À la clinique on décroche. Je commence à donner des explications compliquées. J'étais drôlement gênée. Je raconte que j'ai un retard important que la... que le... qu'un docteur qui, que, quoi...

« *One moment, please*. Vous êtes française ?

— Oui.

— Bien. Voulez-vous m'indiquer le numéro du vol de votre avion ? Une infirmière de la clinique ira vous chercher à l'aéroport.

— Quand ?

— Le jour de votre choix. Vous n'aurez qu'à nous prévenir la veille du jour et nous indiquer le numéro de vol. Vous êtes au courant de nos tarifs ? C'est 2 500 francs. »

Voilà, c'est tout, ce n'est pas compliqué. Quand on a les moyens [3].

Françoise est partie pour Londres où elle s'est fait avorter. Elle

1. **Au rabais** : avec une réduction de prix.
2. **Laisser tomber** : abandonner.
3. **Avoir les moyens** : avoir de l'argent.

est partie là-bas avec son frère, sa belle-sœur et Grégoire. Tout s'est très bien passé.

Au moment de partir elle avait perdu ses papiers et il lui manquait 400 francs. L'agitation avait gagné tout le monde. Nous savions tous qu'elle avait tellement traîné que c'était l'extrême limite. J'ai attrapé Françoise dans un coin.

« Tu n'as pas perdu tes papiers. Tu ne veux pas les trouver, tu ne veux pas les voir parce que tu ne veux pas partir. Tu as la frousse [1] et surtout, dans le fond, tu tiens à cet enfant. Pourquoi n'en parles-tu pas à tes parents ?

— Ce n'est pas possible et puis ce n'est pas souhaitable. Cet enfant ne serait pas heureux.

— Alors je vais te conduire en auto chez toi prendre tes affaires, je t'attendrai dehors et tu chercheras encore.

— Ce n'est pas la peine. Je suis sûre qu'ils ne sont pas chez moi. »

Elle habite dans la banlieue un grand building beige.

Je suis restée dans l'auto et, une fois de plus, j'ai regardé le paysage triste d'une banlieue de grande ville. L'immeuble se dressait haut, rigide, sourd, aveugle, muet, mort, dans le ciel vide. Par la porte d'entrée, trop petite par rapport à l'édifice, en simili beau bois [2], en moderne à bon marché, entraient et sortaient des gens : femmes avec des voitures d'enfants, retraités, jeunes aux allures veules [3]. Ils avaient tous une apparence terne [4], résignée. Ils avançaient, comme s'ils voulaient ne rien voir et ne pas être vus, sur des trottoirs en partie défoncés [5], troués d'arbres maigres, à travers des rues à flaques, le long d'un mur sali d'affiches sans éclat, pour la petite consommation de routine.

Ça ne faisait pas le poids évidemment avec la belle maison de

1. **Avoir la frousse** (fam.) : avoir peur.
2. **Simili beau bois** : matériau d'imitation du bois.
3. **Veule** : sans énergie, faible.
4. **Terne** : insignifiant.
5. **Défoncé** : avec des inégalités, de gros trous.

Clamart, le jardin, la drogue qui fait rêver, l'amour. Au bout du compte la cloque [1], les mensonges, l'avortement, la vraie vie gynécologique des femmes qui commence à seize ans. Ce n'était pas prévu au programme.

Françoise est sortie en courant, les bras en l'air, riant, toute rouge de plaisir. Elle avait trouvé ses papiers.

« En plein sur ma table de nuit. Ils me crevaient les yeux [2].

— Peut-être que tu acceptes d'aller là-bas. Tu as pris un pyjama ? Quelque chose pour mettre à la clinique ?

— Zut, j'ai oublié. D'ailleurs, j'ai rien. »

Elle a pris le train avec un pantalon de toile blanche, une petite blouse et une veste de faux mouton.

Son frère et elle avaient inventé, à l'usage de leurs parents, des mensonges énormes qu'ils ont gobés [3] comme un œuf.

Au retour c'était le délire. Formidable. Rien senti. Londres est une ville fantastique. C'est là-bas qu'il faut vivre.

Grégoire était heureux.

« Maman c'est une ville pour toi. Les gens sont très polis et te foutent une paix [4] royale. Et puis pas un flic [5] pour te casser les pieds si tu as les cheveux longs ou des vêtements un peu excentriques. Tu les sens libres et pas agressifs. J'aimerais aller là-bas avec toi et puis il y a des machines à sous marrantes. J'ai vachement [6] pensé à toi. Je vais y retourner tu sais.

— Et Françoise, ça s'est bien passé ?

— Comme une lettre à la poste. À deux heures, elle est entrée, à trois heures elle est passée sur le billard [7], à six heures on était

1. **Cloque** : être en cloque : (fam.) être enceinte.
2. **Crever les yeux** (fam.) : être bien en vue.
3. **Gober** : avaler en aspirant et sans mâcher.
4. **Foutre la paix** : ne pas importuner.
5. **Flic** (m., fam.) : agent de police.
6. **Vachement** (fam.) : beaucoup.
7. **Passer sur le billard** (fam.) : subir une opération. *Billard* dans le langage familier indique la table d'opération chirurgicale.

tous autour d'elle, c'était fini, elle voulait partir, mais eux l'ont gardée pendant la nuit. »

Après toutes les considérations sur Londres, Françoise s'est mise à parler de la clinique et de la fille qui était dans la même chambre qu'elle. Elle était enceinte de cinq mois et demi et elle a dit qu'elle était enceinte de trois mois. C'est seulement sur la table d'opération qu'ils se sont rendu compte de la vérité.

Pendant que Françoise était là ils l'ont opérée pour la troisième fois.

« Elle avait des tuyaux qui lui sortaient par le nez et des aiguilles dans les bras reliées à des bocaux suspendus. C'était terrible. Elle souffrait sans arrêt. Elle a dix-huit ans et elle a déjà un enfant de deux ans et son mari s'est barré [1].

— Mais pourquoi est-ce qu'elle est venue si tard ?

— Parce qu'elle ne trouvait pas d'argent. Tu crois qu'elle va mourir ?

— Je ne sais pas.

— Je pense à elle sans arrêt. Tu sais Londres c'est vraiment chouette [2], il faut que tu y ailles. Nous avec Grégoire on y retourne le plus tôt possible. »

Comment peut-elle dire cela alors qu'elle n'a pas un sou, qu'il faut qu'elle rende des comptes quotidiens de ses agissements à ses parents ? Comment peut-elle être aussi insouciante au milieu de ses mensonges, de ses déceptions ?

Peut-être n'est-elle pas insouciante.

1. **Se barrer** (fam.) : s'enfuir.

2. **Chouette** (fam.) : beau, joli.

Découvrons ensemble ...

... qui compose le groupe de Clamart

- Soulignez dans le texte les deux premiers adjectifs utilisés pour décrire les garçons de la bande de Clamart : quelle est la qualité de ces jeunes qui attire Charlotte ? Que pense la narratrice de ce groupe ?
- Faites une liste des autres termes utilisés pour décrire le groupe. Servez-vous de cette grille :

Adjectifs	Substantifs	Verbes
beaux	crevures	contestant

- Décrivez maintenant la bande de Clamart en tenant compte des points suivants :
  - leur aspect extérieur, leur âge ;
  - leur caractère ;
  - leur attitude envers la société ;
  - la classe sociale à laquelle ils appartiennent ;
  - leur attitude envers les filles.

... les inquiétudes de la narratrice à propos de Charlotte

- Pourquoi est-ce qu'elle n'aime pas que sa fille soit entrée dans ce groupe ?

- Est-ce que le groupe fréquente sa maison ? Pourquoi ?
- De quelle façon ce groupe a-t-il influencé Charlotte ?
- La narratrice déteste ce groupe pour une raison bien précise : laquelle ?
- « Rester sur le bord de la route, la voir s'éloigner est torturant. La certitude pourtant qu'il faut qu'elle y aille seule. » Expliquez cette phrase en disant ce qui caractérise le rapport entre mère et fille.
- Quand l'histoire d'amour entre Charlotte et Alain se termine, la narratrice affirme : « C'est à cause de faits comme celui-là que je pense que Charlotte a le droit d'avoir une vie à elle. » Justifiez cette phrase en considérant ce que cette histoire a représenté pour Charlotte et pour sa mère.

... l'histoire de Françoise

- Cherchez dans le texte les éléments qui vous permettent de remplir cette grille à propos de Françoise :

Âge	Aspect physique	Rapports avec ses parents	Rapport avec la narratrice

- Dans quelle situation se trouve Françoise ?
- Qui est Simon ?
- Comment Françoise réagit-elle quand elle s'aperçoit qu'elle est enceinte ?
- Quel est son état d'âme à son retour de Londres ?
- Racontez maintenant l'histoire de Françoise en écrivant un résumé où vous utiliserez entre 50 et 60 mots.

Analysons le récit

- Cherchez dans le texte les passages où l'auteur utilise l'imparfait de l'indicatif : quel est le rôle de ce temps dans le développement du récit ? Qu'est-ce qui distingue les phrases à l'imparfait de celles au présent de l'indicatif et au passé composé ?
- Expliquez ce que chacune des phrases suivantes signifie dans le contexte où elle se trouve.
  - *Ce sont des gosses de riches qui se donnent des allures prolétaires.*
  - *Je crois qu'elle est passée à côté sans se faire prendre.*
  - *Ces fils à papa gâtés ont décidé que faire des études, c'est débile.*
  - *Les autres font semblant de chercher du boulot et attendent de leurs parents le gîte, le couvert et l'argent de poche.*
  - *Il était d'accord avec sa petite sœur : pour rien au monde les parents ne devaient apprendre quoi que ce soit.*
- Retrouvez les cinq subdivisions qui composent cette deuxième partie du roman et donnez-leur un titre.

Discutons ensemble

1. Connaissez-vous, à travers votre expérience ou d'après vos lectures, des groupes de jeunes qui ressemblent à la bande de Clamart ? Si oui, décrivez leurs attitudes et dites ce que vous en pensez.
2. Considérez le rapport entre la narratrice et sa fille : est-ce que vos parents vous laissent la même liberté qu'elle laisse à sa fille ?

3. Réfléchissez à l'histoire de Françoise et dites ce qu'il faudrait faire pour qu'une jeune fille ne se retrouve pas dans les mêmes conditions.

Mots à retenir pour ...

... parler de la condition de certains jeunes

Se passer de
Vivre aux crochets de
Boulot / travail
Être au chômage
Décevoir
Désabusé
Faire ses griffes
Baccalauréat
Couper les amarres
Enfants gâtés

- Vous êtes un journaliste qui, après avoir rencontré la bande de Clamart, écrit un article en prenant ce groupe de jeunes comme un exemple du malaise de la jeunesse. Écrivez cet article en utilisant entre 80 et 100 mots.

DE TOUS CES JEUNES qui viennent à la maison aucun n'a une famille normale ou unie. C'est facile d'être au courant des drames officiels. Par exemple je sais que la mère d'Yves est partie avec un Vietnamien, que celle de Cécile et Anne est partie et n'a plus donné signe de vie depuis huit ans, que le père de Francis et de Geneviève est parti et vit à la campagne, que le père de Claudine est mort, que celui de Jean-François est mort aussi. Par contre je sais que Sylvie, Sarah, Bertrand, Françoise, vivent avec leurs parents. Dans quelles conditions ? Ils se contentent de faire des allusions à leur maison comme si c'était une prison ou un endroit où ils s'ennuient mortellement. Je n'ose pas trop les questionner. Entre eux ils sont extrêmements discrets. Si l'un d'entre eux dit : « Il faut que je rentre chez moi en vitesse, je vais me faire sonner les cloches [1] », personne ne manifeste de curiosité.

Beaucoup de gens parlent des jeunes. La jeunesse est un sujet d'inquiétude, d'indignation, de curiosité. Tout le monde en parle sauf les jeunes. Je leur ai suggéré d'écrire un livre en groupe, sur eux, sur ce qu'ils aiment, ce qu'ils veulent. S'ils faisaient cela ils auraient un but. Ils sont capables de rester des après-midi entiers à ne rien faire. Ils ne parlent pas vraiment, ils écoutent de la musique, toujours les mêmes disques. Ils rêvent.

Il y a quelques années j'aurais trouvé cela agaçant, j'aurais parlé de paresse.

Pourtant, à leur âge, je me rappelle avec précision avoir vécu ces mêmes demi-sommeils de néant [2]. Ces rêves éveillés pleins de mes cinémas préférés : des histoires inventées, d'autres que j'avais vécues, que je voulais vivre, que je devais vivre. Plusieurs fois ma grand-mère m'ayant surprise dans cette non-existence m'avait dit : « Mais que fais-tu vautrée [3] sur ce lit ? Prends un

1. **Se faire sonner les cloches / sonner les cloches à quelqu'un** (fam.) : se faire réprimander sévèrement / réprimander quelqu'un sévèrement.
2. **Néant** : rien.
3. **Vautré** : couché.

tricot. » Si bien que j'organisais toute une mise en scène sur mon lit avec des cahiers et des livres autour de moi pour faire croire que je travaillais. J'avais pris l'habitude de rêvasser allongée sur le côté, le coude gauche replié, ma tête appuyée sur ma main comme sur une étagère [1]. J'attrapais des crampes au poignet et à l'épaule. Aujourd'hui, après avoir mis au point un système d'oreillers arc-boutants [2] très au point, c'est dans cette position que j'écris ou que je travaille.

Ma grand-mère ne portait pourtant pas de jugement de valeur. Elle ne disait pas : « C'est bien ou c'est mal de faire cela », elle employait simplement le verbe « vautrer », qui a une nuance péjorative puis elle me donnait une indication sans insister : « Prends un tricot. »

Eux aussi rêvent. Ils rêvent en écoutant de la musique. Ils connaissent leurs disques sillon par sillon comme ma mère connaissait des milliers de vers de Marceline Desbordes-Valmore ou de Musset, comme je connaissais Rimbaud, Apollinaire et, mesure après mesure, les Brandebourgeois de Bach et certaines symphonies de Mozart. Il y avait déjà le jazz et de bons 33 tours dans ma jeunesse.

Dans le tintamarre [3] qui crève souvent les tympans des adultes il y a des nuances, des variations auxquelles les amateurs de pop sont extrêmement sensibles. Ils attendent la syncope, la rupture du rythme, les interventions de la batterie, avec passion. Cette musique est la seule chose qui appartienne absolument à cette génération, elle est leur reflet en même temps que leur tremplin.

Il y a quelque chose que je ne comprends pas.

Je ne comprends pas comment des gens qui ont vécu leur adolescence après 1945 peuvent être fermés à ce point aux jeunes de 1972. Il me semble en effet que ceux qui ont été

1. **Étagère** (f.) : tablette, planche fixée horizontalement sur un mur.
2. **Arc-boutant** (m.) : maçonnerie en forme d'arc servant à soutenir un mur, une voûte.
3. **Tintamarre** (m.) : tumulte, grand bruit.

adolescents avant ou pendant la guerre de 39-45 doivent avoir du mal à comprendre. Ils ont vécu autre chose, ils ont été formés différemment. Mais pour les autres, dont je fais partie, il est impossible qu'ils aient oublié complètement le jazz, le boogie-woogie, le be-bop, le new-look, le swing, Juliette Gréco, les caves, Sartre, Camus, Merleau-Ponty, le chewing-gum, les zazous [1], Boris Vian. Je vivais bien loin de Paris et je ne rêvais que de ça, nous ne parlions que de ça. D'autant plus que nos parents étaient contre, bien sûr.

Où est-ce que le bât blesse ? [2]

Je veux bien admettre que nous sommes une génération de transition, que nous dansions le bop, que nous parlions d'amour libre mais que nous étions fermement rattachés à la génération de la guerre de 14. À tous ces anciens combattants dont, encore aujourd'hui, la conduite héroïque et patriotique doit primer [3] toute autre action et servir d'exemple. Est-ce que les jeunes qui se sont mariés entre 52 et 56 avaient pour idéal d'élever leurs enfants dans le culte de la valse viennoise, de Jeanne d'Arc et d'une Marianne dont le bonnet phrygien [4] tombait sur ses gros nichons [5] ? Je ne peux pas le croire.

D'où vient que ces gens sont en conflit avec une génération qui est l'aboutissement de ce qu'ils avaient amorcé [6] ?

Admettons que je suis sortie d'une famille de divorcés et que j'ai vécu une jeunesse déchirée [7] qui ressemble fort à la jeunesse

1. **Zazou** (m.) : nom donné pendant la Seconde Guerre mondiale et durant l'après-guerre à des jeunes gens passionnés de jazz et à l'élégance provocante.
2. **Où est-ce que le bât blesse ?** : où est le défaut, le point sensible ?
3. **Primer** : dominer, l'emporter sur.
4. **Marianne au bonnet phrygien** : symbole de la République française. Le bonnet phrygien est le bonnet rouge que portaient les révolutionnaires de 1789.
5. **Nichon** (m., fam.) : sein.
6. **Amorcer** : commencer.
7. **Déchiré** : ici, qui souffre moralement.

d'aujourd'hui où la famille, qu'elle soit ou non unie, est déchirante et déchirée.

Admettons aussi que j'ai toujours eu à ma disposition des livres, des disques et de la place.

Admettons aussi que je suis née sur les bords de la Méditerranée où la chaleur et la lumière ouvrent les portes, font se rencontrer les gens, les font communiquer.

Ce sont des avantages pour comprendre les adolescents mais ce n'est pas parce qu'on les a eus ou non qu'on est plus ou moins touché par la jeune génération. Je connais des amis de mon âge, de mon milieu, de ma ville, des amis qui ont fait des dingueries [1] insensées il y a vingt ans, dégottant [2] des cigarettes de hach je ne sais où, qui se comportent aujourd'hui avec leurs enfants comme se comportaient leurs parents et leurs grands-parents dont ils n'avaient qu'une idée : s'en débarrasser.

Le fric [3] pourrit, c'est une vérité première. L'argent inutile fausse tout. La course au pognon [4] rend aveugle. Les enfants deviennent un capital dans lequel on investit des sommes énormes gagnées à la sueur de son front, au prix de bagarres âpres et rudes contre les autres toujours plus nombreux qui briguent [5] les mêmes avantages, le même poste, la même place. On commence par trouver son trou puis à l'installer, à l'agrandir, à l'embellir. On y tient les enfants bien au chaud, on se dispute pour qu'ils bouffent [6] bien, qu'ils soient bien vêtus, bien instruits. Dans l'amour qu'on a pour eux, il y a une bonne part d'attendrissement sur soi-même d'avoir tant lutté pour les voir enfin comme ils sont à douze ans au lycée : délurés [7], au courant,

1. **Dinguerie** (f., fam.) : chose folle.
2. **Dégotter** (fam.) : trouver.
3. **Fric** (m., fam.) : argent.
4. **Pognon** (m., fam.) : argent.
5. **Briguer** : essayer d'obtenir quelque chose à tout prix.
6. **Bouffer** (fam.) : manger.
7. **Déluré** : habile, éveillé.

à la mode, en bonne santé, suivant leurs cours cahin-caha [1]. Ils passeront leur bachot, ils deviendront ingénieur, ou chirurgien, ou instituteur, ou cadre [2], ou chef de chantier, ou chef de bureau. Ils iront encore plus loin que leurs parents dans le confort, le luxe. On voit se profiler à l'horizon, d'une façon presque tangible, grâce à ces petits capitaux à deux pattes, le paradis américain : la machine à laver la vaisselle, la cireuse électrique, la belle auto, le yacht et l'apothéose des Bahamas. Pourquoi pas ? Ah ! un jour on sera bien récompensé de nos efforts !

On est devenu si âpre au gain [3], si rude, qu'on a oublié l'amour désintéressé.

L'année suivante le petit commence à se traîner au lycée ou sinon sur le chemin entre le lycée et la maison. Encore une année et c'est le mutisme ou la fugue, ce qui revient au même. On a perdu le contact. On n'y comprend rien. Alors on achète le Solex [4], la voiture, on donne de l'argent, on paie n'importe quoi. Rien n'y fait. Les parents auxquels cela n'est pas encore arrivé rentrent la tête dans les épaules, accroissent la surveillance et la discipline. C'est le contrôle constant. C'est la guerre.

Adieu la friteuse électrique et les palmiers qui ombragent la plage de corail !

C'est trop injuste ! Mais qu'est-ce qu'ils ont ces jeunes-là ? On leur a tout donné, on a tout fait pour eux.

Je trouve que l'expression « mes vieux » pour parler des parents (et l'extension « mon vieux », « ma vieille » pour parler du père ou de la mère) est une des plus péjoratives et des plus cruelles du langage des « jeunes ».

Ces mots résument assez bien le conflit. Ils sont tirés du

1. **Cahin-caha** : péniblement.
2. **Cadre** (m.) : personne qui dans une entreprise en dirige d'autres.
3. **Âpre au gain** : avide.
4. **Solex** (m.) : cyclomoteur d'une marque très connue.

langage prolétaire, ils ont une nuance protectrice agaçante [1], ils imposent une image : un vieil ouvrier complètement rétamé [2] que son fils installe dans un rayon de soleil. Il le pose là comme on poserait une potiche [3]. Il viendra le reprendre plus tard, avec respect peut-être. En attendant le vieux marmonne [4] ses vieilles sornettes [5], ressasse [6] ses vieilles pensées, ses vieux souvenirs. Aucune importance.

Ceux qui ont entre quinze et vingt ans savent bien que leurs parents ne sont pas vieux en nombre d'années. Mais c'est pire, ils sont amortis [7], inutilisables pour aujourd'hui et demain. Ils ne sont qu'un hier dont les jeunes n'ont rien à foutre.

Je me demande d'ailleurs si le mot jeunesse ne serait pas à redéfinir. Je parle de la jeunesse qui inquiète les gouvernements et les adultes. Je pense que le jeune en Europe et aux États-Unis est celui qui est capable de s'enfoncer avec religiosité dans une certaine musique. Il n'y a aucune moquerie de ma part dans ce que je viens d'écrire. Je crois que la musique moderne est extrêmement importante si je veux comprendre la génération de mes enfants et je sais que je ne peux pas l'aborder en simple amateur, en spectateur, en observateur. Ou je m'enfonce dedans complètement, ou je n'ai aucune idée de ce qu'elle est réellement et du coup je ne peux pas comprendre ce qui les fascine, ce qui les fixe. Pratiquement je ne peux pas communiquer profondément.

Peut-être que j'exagère. Peut-être que je suis en train de généraliser ce qui ne concerne qu'un minuscule petit groupe. Peut-être que j'ai des œillères [8], que je dramatise. Je ne le crois

1. **Agaçant** : énervant, irritant.
2. **Rétamé** (fam.) : épuisé.
3. **Potiche** (f.) : grand vase en porcelaine.
4. **Marmonner** : murmurer d'une façon confuse.
5. **Sornettes** (f.) : affirmations frivoles, qui ne reposent sur rien.
6. **Ressasser** : répéter.
7. **Amorti** : affaibli.
8. **Avoir des œillères** : refuser de voir certaines choses par parti pris ou ne pas les voir par étroitesse d'esprit.

pas. J'ai vu arriver à la maison des apprentis ingénieurs, des ouvriers, des apprentis clochards, des Anglais, des Hollandais, des Canadiens, des Allemands, des Américains, des Suisses, des Belges, des Japonais, des Africains. Ils entraient, il y avait de la musique, ils se reconnaissaient entre eux. Ils savaient se définir et communiquer, même sans mots. J'ai vécu au Canada et aux États-Unis avec mes enfants. Au départ des rencontres intéressantes il y avait toujours la même chose : la musique, la même musique. Que ce soit des arpèges d'une chanson de folk grattés sur une guitare ou un banjo dans la nuit chaude du lac Huron, ou un disque de Jimmy Hendrix qui tourne au maximum de la tonalité sur un électrophone de New York, de Montréal ou de Paris.

Au cours d'un été nous campions au bord d'un lac canadien. La nuit était tombée, nous avions dîné. C'était l'été où Charlotte était amoureuse d'Alain. Nous étions neuf en tout : six adolescents, Jean-Pierre, moi et Dorothée qui avait douze ans. J'avais sommeil. Je les ai laissés autour du feu et je suis allée dans la tente. Pendant que je me préparais à me coucher j'ai entendu une pétarade [1] formidable. Nous campions dans le creux d'une grande dune de sable qui descendait jusqu'à l'eau. Je suis sortie et j'ai vu un spectacle incroyable : trois puissantes motocyclettes qui absorbaient la pente raide de la dune dans des geysers de sable et un cataclysme de bruit. La panique m'a prise. Je croyais que c'était la police qui venait faire éteindre notre feu, ou Dieu sait quoi. Quand on vit de l'autre côté de l'Océan on se rend compte qu'*Easy Rider* ce n'est pas une invention et ça fait peur. Les motos se sont arrêtées à dix mètres de notre campement. Ce n'était pas la police mais trois très jeunes hommes, dans les vingt-deux ans, secs, habillés de cuir noir, avec de gros dessins colorés sur leurs blousons. Les machines étaient magnifiques, les flammes faisaient briller leurs chromes par éclats, les garçons étaient effrayants, dangereux, les yeux froids dans des visages bardés de casques et de mentonnières. J'étais en retrait, je voyais

1. **Pétarade** (f.) : suite de bruits soudains et violents.

la scène. Je m'attendais au pire. Les enfants sentant le danger, leurs pensées probablement pleines des récits quotidiens de la violence américaine, s'étaient levés. Ils restaient immobiles. Jean-Pierre avait fait un pas vers eux.

« *Hello good evening.* »

Pas de réponse. Ils sont venus près du feu. Tout le monde était debout. Cela a duré un moment. Puis les enfants ont commencé à s'asseoir. Les trois motocyclistes aussi. Grégoire a pris son banjo, Alain sa guitare. Ils se sont mis à gratter. Charlotte a fredonné [1] : « *One more blue and one more grey.* » Les trois motocyclistes ont souri. On a passé des oranges. Alors a suivi une des soirées les plus intéressantes que j'aie vécues ces dernières années. Ils ont raconté qu'ils étaient tous les trois électroniciens, qu'ils habitaient Detroit et que chaque vendredi soir ils partaient sur leurs engins [2] le plus loin possible, à toute vitesse. En général le soir ils essayaient de trouver des campeurs avec un feu allumé pour faire cuire leur dîner. Mais c'était difficile. Ils étaient généralement mal reçus. Les campeurs sont souvent armés et sont dangereux. Ils ont parlé de leur vie, de ce qu'ils voulaient, de ce qu'était l'Amérique pour eux.

Le matin ils ont tenu à faire la vaisselle et le ménage du camp. Puis, pour nous remercier, ils ont organisé dans les dunes le plus fantastique carrousel. Leurs motos se cabraient [3] comme des chevaux, dévalaient [4] les pentes, faisaient naître des feux d'artifice de sable, jusqu'à ce que nous les ayons perdus de vue. Ils étaient magnifiques. Je ne sais plus leurs noms. Je les aime beaucoup.

C'était la musique qui avait ouvert les portes.

Leurs disques ce sont nos livres. Ils sont pleins d'histoires, de messages, de rêves, d'aventures.

1. **Fredonner** : chanter à mi-voix.
2. **Engin** (m.) : ici, moto.
3. **Se cabrer** : se dresser.
4. **Dévaler** : descendre rapidement ou brutalement.

Un jour mon fils a branché [1] des écouteurs sur l'électrophone et il m'a fait écouter un disque. J'ai vécu un bien beau moment en compagnie de cette musique-là : une tempête, un espoir. Grâce aux écouteurs j'ai perçu des nuances extrêmement fragiles que je n'avais jamais perçues auparavant. Eux n'avaient pas besoin d'écouter pour les percevoir. Après je leur ai parlé et je me suis rendu compte que c'était précisément ces moments qu'ils attendaient chaque fois qu'ils écoutaient ce disque, que je venais au fond de découvrir alors qu'il tournait tous les jours au moins trois ou quatre fois depuis plusieurs semaines.

Une personne qui me parlait de ses enfants au cours d'un dîner :

« Je ne suis pas contre leur musique, chère amie (c'était la première fois qu'elle me voyait). Mais pourquoi l'écoutent-ils si fort ?

— Pour être complètement occupés par elle. Elle est plus qu'un simple divertissement.

— Ils sont fous. »

LA FAMILLE. La famille le lycée. La famille l'amour. La famille le métier. C'est ça la trame serrée du tissu des adolescents.

La famille est, généralement, un carcan [2] qui pèse lourd, qui blesse les jeunes et les adultes. Dans la sphère hermétiquement close de la famille traditionnelle, les êtres humains ressemblent à des mouches qui se cognent [3] partout, s'épuisent à essayer d'aller vers la lumière. Cela semble d'autant plus absurde qu'il est évident qu'il y a désormais deux lumières.

Chaque année, à la Toussaint, j'accompagnais ma mère au cimetière. C'est là, au cours des années, que s'est creusée la faille [4] entre ma famille et moi.

1. **Brancher** : connecter un appareil électrique.
2. **Carcan** (m.) : collier de fer qui était utilisé autrefois pour attacher un criminel au poteau d'exposition. Ici, il est employé métaphoriquement.
3. **Se cogner** : se heurter.
4. **Faille** (f.) : fente.

Avant la guerre nous venions au cimetière en voiture et le chauffeur portait les paquets. Ensuite il nous fallait plus d'une heure et des changements de tram pour parvenir dans cet endroit escarpé [1] surplombant la Méditerranée qui, là, loin des plages de la baie et à cause de la chute abrupte du sol dans la mer, était déjà sombre, profonde, mystérieuse. On la voyait de partout à travers les troncs et les feuillages des cyprès qui bordaient les allées. Odeur poivrée de ces arbres. Odeur fade [2] des fleurs. Odeur marine. Odeur des morts. Odeur minérale de toutes ces dalles [3] au ras du [4] sol assaillant la montagne jusqu'à son faîte [5] où était plantée une basilique vouée à la Vierge au visage noir, vêtue d'une chape [6] d'or, raide, hiératique [7] et portant son bébé assis sur son bras replié : Notre-Dame d'Afrique. Malgré le jaillissement des croix au-dessus des tombes et des clochetons [8] au-dessus des chapelles, tout était écrasé entre le ciel énorme et la mer noire qui se réunissaient au loin, se mêlaient à l'horizon.

Sur ce lieu où tout soulignait l'anéantissement, l'insignifiance, l'ignorance, passait un petit vent marin heureux, vivant, gai, qui sentait bon, qui donnait envie de danser et d'aimer. Un air de fête. Particulièrement en ces jours de Toussaint avec l'abondance des fleurs, les toilettes des visiteuses et la lumière magique de l'automne ensoleillé.

Nous grimpions [9] jusqu'à « notre » tombe, à mi-pente, à mi-falaise, surchargées de brassées [10] de chrysanthèmes et

1. **Escarpé/abrupt** : qui a une pente raide.
2. **Fade** : sans saveur.
3. **Dalle** (f.) : plaque de pierre recouvrant une tombe.
4. **Au ras de** : au niveau de.
5. **Faîte** (m.) : sommet.
6. **Chape** (f.) : type de grand manteau d'église.
7. **Hiératique** : immobile, solennel.
8. **Clocheton** (m.) : petit clocher.
9. **Grimper** : monter.
10. **Brassée** (f.) : ce que peuvent contenir les deux bras.

d'instruments de nettoyage qui se heurtaient régulièrement dans un seau métallique, cadençant [1] notre marche.

Chemin faisant [2] ma mère détaillait [3] les tombes et me montrait celles qui étaient belles et celles qui ne l'étaient pas. Elle s'arrêtait souvent et mettait en valeur pour moi la vulgarité ou la distinction qui avaient présidé à l'édification des différents monument funéraires. Je sus ainsi rapidement que les fleurs artificielles, les angelots fessus [4] de porcelaine et les livres de marbre sur les fausses pages desquels s'incrustaient des photos en médaillons de défunts maquillés aux cheveux crantés [5] ou de défunts gominés [6] et pleins de santé, tout cela, que pour ma part je trouvais magnifique, c'était bon pour « les épiciers enrichis ». Par contre, la simplicité dans la splendeur, la dalle de marbre rare avec une croix sans fioritures, ça c'était beau et discret. Les vieilles tombes abandonnées des débuts de la conquête l'attiraient, ainsi que les tombes des pauvres. Petits tumulus [7] de mauvaise herbe avec un verre à moutarde, contenant une ou deux fleurs en celluloïd, enfoncé dans la terre, comme fiché dans le nombril [8] décomposé du cadavre. Cela méritait qu'on s'arrête et qu'on prie. Devant les champs de ces misérables tombeaux elle disait : « Ils sont mieux là qu'ailleurs. » Ce que je traduisais par il vaut mieux [9] être mort que pauvre. D'où les frayeurs [10] profondes qui me bouleversaient lorsque j'entendais dire par quelqu'un de la famille, à propos d'une dépense importante : « Si

1. **Cadencer** : donner du rythme.
2. **Chemin faisant** : en cours de route.
3. **Détailler** : raconter en détail.
4. **Angelots fessus** : petits anges ayant de grosses fesses.
5. **Cheveux crantés** : cheveux qui ont une forme ondulée.
6. **Gominé** : dont les cheveux ont été passés à la gomina (un gel).
7. **Tumulus** : amas de terre, de pierres qui se trouve sur une tombe.
8. **Nombril** (m.) : cicatrice du cordon ombilical, au milieu du ventre.
9. **Valoir mieux** : être préférable.
10. **Frayeur** (f.) : grande peur.

ça continue nous irons mendier dans la rue. »

Si elle était capable de faire des réflexions aigres-douces, parfois même cinglantes [1], sur les vivants, les morts, eux, étaient toujours l'objet de son attention affectueuse. Il y avait une complicité entre elle et la décomposition. Elle déposait au passage un chrysanthème, qu'elle prenait dans nos provisions, sur les tombes visiblement délaissées [2]. Comme on donne un bonbon à un enfant, comme, d'un geste gentil, elle relevait parfois une mèche qui tombait sur mon visage.

Arrivée à notre tombe qui était la plus simple de tout le cimetière : une grande dalle de marbre blanc, sans croix, sans rien, avec juste un nom en haut à gauche, celui de sa petite fille, et deux dates : la naissance et la mort. Entre les deux il y avait eu onze mois de vie.

Elle s'agenouillait, elle passait la main sur la pierre comme pour une caresse et elle pleurait. Elle lui parlait : « Je vais te faire une belle tombe ma chérie, ce sera la plus belle. Je t'ai apporté les plus belles fleurs de Madame Philipars, les plus belles d'Alger. Ma petite chérie, ma toute petite fille, mon amour, ma pauvre enfant. »

Ma besogne [3] consistait à aller chercher de l'eau. Je faisais des allées et venues avec mon seau. Le chemin longeait l'ossuaire : long et haut mur divisé en centaines de petites cases [4], chacune ayant son étagère pour permettre de poser des pots de fleurs ou des ex-voto devant le compartiment. Je savais qu'on y mettait les ossements de ceux qui n'avaient pas de concessions à perpétuité. J'avais très bien compris que c'était les pauvres, ceux aux tumulus de mauvaises herbes, qui passaient au bout de peu de temps dans ces tiroirs. Dans la vie ils grouillaient [5] dans les

1. **Cinglant** : rude, sévère.
2. **Délaissé** : abandonné.
3. **Besogne** (f.) : travail.
4. **Case** (f.) : compartiment.
5. **Grouiller** : fourmiller.

bidonvilles [1], une fois morts ils grouillaient dans l'ossuaire. Comme les autres : dans la vie ils avaient des villas, dans la mort ils avaient des tombeaux pour eux tout seuls, chaque famille bien séparée de ses voisines. C'était logique.

Les gens faisaient la queue avec leurs récipients. Le robinet coulait lentement, par saccades [2], en crachant. Si on l'ouvrait plus grand il jouait des tours. D'abord l'eau formait un beau bulbe transparent qui se mettait à enfler [3], à grossir, à gonfler. Ensuite, avec des énormes et violentes éructations, elle éclatait en ombrelle, puis en soleil et giclait [4] alors sur l'assistance qui poussait des cris et reculait [5] frénétiquement. Le gardien alerté arrivait en soufflant, disait qu'il ne fallait pas toucher le robinet, qu'il le réglait pour la dernière fois. Puis, comme un toréador qui pose des banderilles [6], les mains au bout des bras, les bras au bout des épaules, le corps plié en deux pour protéger le ventre, les pointes des pieds projetant le tout, le plus loin possible, il réduisait le débit du robinet qui se mettait à crachoter à nouveau. Les gens reprenaient leur place dans la file. C'était long. Plus la matinée avançait, plus les cyprès sentaient fort.

À mon retour, le seau tirant mon bras, je la voyais qui ponçait [7] la pierre, elle la polissait, la brossait [8], la lavait. Ses belles mains étaient rougies par l'ouvrage. Son front était en sueur.

« Comme tu as été longue !

— C'est qu'il y a la queue au robinet.

1. **Bidonville** (m.) : ensemble de baraques où vit la population la plus pauvre d'une ville.
2. **Par saccades** : de façon intermittente.
3. **Enfler** : gonfler.
4. **Gicler** : jaillir avec force.
5. **Reculer** : se porter en arrière.
6. **Banderille** (f.) : dard orné de rubans ; instrument du rituel de la corrida.
7. **Poncer** : polir avec de la pierre ponce.
8. **Brosser** : nettoyer avec une brosse.

— Chaque année c'est pareil.

— Vous voulez que je jette l'eau maintenant ?

— Oui, et puis tu retourneras en chercher. »

J'agrippais le seau d'une main par le bord, de l'autre par le fond et j'en balançais le contenu sur la tombe. Cela faisait d'abord dans l'air et le soleil un éventail liquide et irisé [1] qui, dans la seconde même, venait s'écraser sur le marbre et roulait en entraînant les débris [2], les poussières, les raclures [3], avec la souplesse et la puissance des lames de fond qui passent par-dessus le môle [4] les jours de grosse mer. L'eau s'écoulait enfin sagement par les gouttières creusées à cet effet en contrebas de la dalle. La pierre déjà bien poncée à certains endroits était éblouissante.

Elle reprenait sa besogne et moi je repartais chercher de l'eau.

Pendant mes absences je savais qu'elle continuait à pleurer et à parler à son enfant. Au début, il y a longtemps, il paraît qu'elle venait là tous les jours. Maintenant, seize ou dix-sept années étaient passées depuis la mort de sa petite fille. Ce n'était plus pareil. Elle n'avait plus besoin de venir aussi souvent car, peu à peu, son bébé avait de nouveau poussé à l'intérieur d'elle-même et y vivrait à jamais. Elle en serait enceinte jusqu'à sa mort. Alors, j'imaginais qu'elles naîtraient à l'infini, ensemble, l'une berçant l'autre, flottantes, heureuses, folâtrant [5] dans l'Harmonie, parmi des champs aériens de frésias où s'ébattraient [6] des ânes roses, des papillons bleus et des girafes de peluche. Elles riaient, elles dormiraient, rassasiées [7] du mutuel et constant bonheur qu'elles se donneraient.

1. **Irisé** : ayant les couleurs de l'arc-en-ciel.
2. **Débris** (m.) : restes d'une chose brisée.
3. **Raclure** (f.) : ce qu'on enlève en grattant la superficie d'un corps.
4. **Môle** (m.) : construction qui protège l'entrée d'un port.
5. **Folâtrer** : jouer.
6. **S'ébattre** : se livrer à des mouvements.
7. **Rassasié** : dont la faim, les désirs ont été satisfaits.

Au cimetière son enfant n'était donc plus que la grande plaque de marbre blanc. Au cours des discours qu'elle tenait à la pierre, il lui arrivait de l'embrasser avec une tendresse extrême. Dans ces instants j'aurais aimé être la pierre et, par extension, être morte. Ainsi m'aimerait-elle peut-être autant que cette petite fille que je n'avais jamais connue et à laquelle je ressemblais, paraît-il, si peu. Je me voyais allongée parmi les fleurs, ravissante, inerte, morte, et elle me couvrant de baisers.

Lorsque, à cause du soleil qui était passé au zénith, la pierre était aveuglante de blancheur et de propreté, elle se mettait à disposer les fleurs dessus avec un goût parfait. Elle savait tout des couleurs, des formes, de la souplesse, de la rigidité, de l'essence des fleurs. Elle formait une grande croix folle, belle, échevelée [1], qui divaguait. Une croix c'est simple et c'est toujours pareil, c'est l'intersection de deux droites qui se coupent le plus souvent à angle droit mais c'est aussi la cathédrale de Chartres. Elle élevait des cathédrales végétales. Elle travaillait jusqu'à obtenir une composition à la fois délicate et forte qui était l'expression exacte de son amour, de sa peine, de sa tendresse, de son cœur gonflé de manque.

Après la famille, le deuxième terme important de la vie des jeunes est le lycée, la Bastille [2] de 1968. Il fallait le faire, l'Éducation nationale [3] était vétuste. Mais voilà, en attendant que les réformes se fassent puis entrent en vigueur et que les responsables les maîtrisent, c'est la pagaille [4]. Il faut bien voir les choses en face, il y a une génération d'enfants qui sert de cobaye [5], qui est sacrifiée. Ils le savent. Ils ne sont pas aveugles, ils voient le chaos. Comment est-ce que cela pourrait susciter leur respect ? Il aurait fallu que, durant cette période de ménage, la famille ait

1. **Échevelé** : ayant les cheveux en désordre.
2. **Bastille** (f.) : symbole de la Révolution française.
3. **L'Éducation nationale** : ministère de l'Éducation nationale.
4. **Pagaille** (f., fam.) : désordre.
5. **Cobaye** (m.) : cochon d'Inde, animal utilisé comme sujet d'expérience.

une force double. Or les parents rejettent leurs responsabilités sur le lycée, le lycée sur les parents. Les jeunes restent sur la touche [1] et comptent les coups.

Je viens d'aller à une réunion des parents d'élèves de la classe de Dorothée (quatrième [2]). Les parents voulaient tous qu'on rétablisse : les classements [3], les compositions, les colles [4] et les lignes [5]. Le « bon système d'antan [6] » quoi ! « Quand ils auront conjugué cent fois le verbe avoir à tous les temps, je vous assure qu'ils le sauront une bonne fois pour toutes. » À croire que je n'ai pas vécu les choses de la même manière.

Je suis partie avant la fin de la réunion. Je me sentais trop différente pour rester parmi eux. Derrière la porte, dans le couloir, j'ai trouvé un garçon et une fille qui essayaient anxieusement de suivre ce qui se disait. En me voyant ils ont voulu se sauver [7], puis la fille m'a reconnue, elle était venue quelquefois à la maison avec Dorothée. Elle m'a fait un sourire.

« Comment ça se passe ? »

J'ai répondu méchamment :

« Les parents c'est des imbéciles. »

Après, en descendant l'escalier, j'ai regretté d'avoir dit ça. Ce n'est sûrement pas en haussant le mur [8] que je résoudrai les problèmes.

1. **Rester sur la touche** : rester dans une position de non-activité.
2. **Quatrième** (f.) : troisième année de collège. Les classes en France sont numérotées de 11 (*onzième* = première année d'école primaire) à 1 (*première* = avant-dernière année de lycée) ; la dernière année de lycée est la *terminale*.
3. **Classement** (m.) : action de ranger dans un certain ordre. Ici, classement trimestriel.
4. **Colle** (f.) : exercice d'interrogation; question difficile; punition qui contraint un élève à venir en classe en dehors des heures de cours.
5. **Lignes** (f.) : lignes à copier à titre de punition scolaire.
6. **D'antan** : d'autrefois.
7. **Se sauver** : s'en aller.
8. **Hausser le mur** : refuser le dialogue.

C'est vrai pourtant que je garde un souvenir dégoûtant de cette réunion.

Leurs enfants comme de la marchandise. Ils enragent qu'on ne mette pas l'étiquette N° 1, N° 2, N° 3, N° 4, etc. Ils pourraient enfin pousser cette gueulante [1] bien connue, qui les faisait frémir : « Vingt-quatrième sur vingt-sept, c'est une honte, tu finiras dans le ruisseau. » Ou bien alors ils pourraient étaler [2] ce baume [3] sur leur médiocrité, lancer comme un drapeau qui les protégerait, chez le boucher ou au bureau : « Mon fils est troisième sur trente-deux. »

Leur impuissance étalée comme les plaies des mendiants indiens : « Depuis qu'il n'y a plus de punitions au lycée nous ne les tenons plus ! » « Comment vérifier son travail s'il n'y a plus de notes ? »

Je me souviens très bien d'un système que j'avais mis au point avec quatre plumes Malla [4] accrochées à un porte-plume par un système d'élastiques. Cela me faisait écrire quatre fois la même chose et divisait de ce fait par quatre le nombre de lignes de punition, dans le genre : « À l'avenir je m'abstiendrai de parler pendant le cours de mathématiques. » Je ne prêtais aucune attention à ce que j'écrivais. Aucune. C'était plutôt le système d'amarrage [5] de mes plumes qui m'inquiétait. Je n'ai pas le souvenir qu'une punition de ce genre m'ait servi à faire autre chose qu'à dissimuler mieux. Je ressens encore la fureur qui me prenait de voir les belles heures d'un après-midi de congé filer à écrire ces idioties. Je ne pensais pas que je ne recommencerais plus. Je pensais que j'allais trouver un truc [6] pour faire pareil sans

1. **Gueulante** (f., fam.) : clameur de protestation.
2. **Étaler** : étendre en couche fine.
3. **Baume** (m.) : préparation employée comme calmant, consolation.
4. **Malla** : marque de plumes.
5. **Amarrage** (m.) : action de fixer.
6. **Truc** (m.) : astuce, stratagème.

me faire piquer [1]. J'apprenais l'hypocrisie et la dissimulation.

Après quelques réunions de parents d'élèves je suis allée voir la directrice du lycée de mes filles. C'est une femme sympathique, très au courant des problèmes de jeunes. Elle m'a paru écartelée [2] entre les parents, les élèves, les professeurs, l'administration. Impuissante. Une autorité de façade qui s'effondrera devant les contestations des uns et des autres.

En parlant de ceux qui quittent le lycée pour travailler elle a dit : « Ils ne trouvent que des boulots merdiques [3]. » Et comme cela m'a fait rire de l'entendre parler de cette façon elle s'est excusée.

Elle s'est sentie en confiance avec moi du fait que j'ai enseigné, que je suis une ancienne universitaire, que je ne venais ni l'agresser ni la critiquer. Ce qui l'inquiétait surtout, c'était la drogue.

Il y a pourtant déjà trois ans, que cela rôde [4] dans les lycées. Quand Charlotte avait douze ans je lui ai demandé : « Est-ce que tu as entendu parler du hachisch ? » En réponse elle a fait semblant de tirer sur un joint [5], comme si elle avait une cigarette dans le creux de sa main, elle faisait mine d'aspirer la fumée profondément. « Où as-tu appris ça ? — C'est les grands qui font ça. Ils font semblant. » Elle riait.

J'ai vu deux grands gosses camés [6], de vrais camés, et cela me révolte.

Une fois, au coin de l'avenue de Breteuil et de la rue de Sèvres, il y avait un homme allongé sur le trottoir. Quelques personnes l'entouraient. J'ai cru à un accident de la rue. J'ai vite traversé pour ne pas voir et je suis entrée dans une boulangerie.

1. **Se faire piquer** : ici, se faire surprendre.
2. **Écartelé** : tiraillé, entraîné dans des sens différents.
3. **Merdique** (fam.) : mauvais, sans valeur.
4. **Rôder** : ici, exister.
5. **Tirer sur un joint** (fam.) : fumer une cigarette contenant de la drogue.
6. **Camé** (fam.) : drogué.

Les clients parlaient. Dehors, en face, l'attroupement grossissait. On ne voyait plus le corps. La boulangère a dit tranquillement :

« C'est un camé qui est en manque [1]. » D'entendre cette commerçante de quartier dire cette phrase, employer ces mots d'argot que je croyais réservés à un petit milieu d'étudiants ou d'intellectuels, m'a soufflée [2]. Je suis sortie et j'ai rejoint les curieux. Je suis arrivée jusqu'au premier rang et j'ai vu un garçon étendu qui devait avoir dix-huit ans, très grand, de longs cheveux blonds, des vêtements « fricky [3] ». Il était d'une beauté bouleversante. Comme un enfant blessé à mort... Il laissait sa tête aller de droite à gauche avec son visage habité de souffrance. Il gémissait. De temps en temps il disait « non, non » se faisant un geste du bras, comme pour repousser. Un curieux a flanqué [4] un coup de pied dans la jambe du garçon qui est allée se croiser sur l'autre. Ses membres étaient mous comme ceux des marionnettes vides. Cela m'a paru insupportable. J'ai crié : « Vous ne devez pas lui faire de mal. Ce sont des gens de votre âge qui lui ont vendu ce qui l'a mis dans cet état. » Il m'a regardée comme si j'avais prononcé un blasphème : « Nous, de notre temps on buvait du vin. Une bonne cuite [5] de temps en temps ça fait du bien et c'est sain. »

D'autres hommes ont rigolé. Ils se sentaient virils, je crois. Sages, en tout cas. Puis la police est venue et a emporté le gosse sur un brancard [6].

Je hais la drogue.

Cécile, une amie de Grégoire, m'a parlé de la drogue :

« Chez Simon on se camait. Maintenant c'est fini on fume un

1. **En manque** (fam.) : état d'un toxicomane privé de sa drogue.
2. **Souffler** (fam.) : rendre stupéfait.
3. **Fricky** : mode chez les jeunes de l'époque.
4. **Flanquer** (fam.) : ici, donner brutalement.
5. **Cuite** (f., fam.) : ivresse.
6. **Brancard** (m.) : civière pour porter des malades.

peu d'herbe, c'est tout. Mais l'année dernière il y avait de tout, de l'acide et même de l'héroïne. Quand tu te défonces [1] à l'acide c'est marrant. Pour moi c'était un autre monde tout en couleurs. Les objets changent de forme, changent de couleur. Les visages des copains changent aussi. J'ai le souvenir d'un univers de batraciens. Ça déforme le monde tu vois, ça change les formes mais pas le fond, tandis que l'héroïne c'est fantastique. J'en ai sniffé une fois et j'ai compris qu'il fallait pas que je recommence. Tu planes dans le bonheur. Tout est différent et agréable. Je peux pas t'expliquer, c'est sublime, super-beau.

« Seulement quand tu descends tu tombes dans une dépression terrible. Tu as un cafard [2] noir. Tu ne peux plus supporter la réalité. Alors, tu comprends, la seule manière de s'en sortir c'est de recommencer. »

Lakdar, lui, est allé jusqu'au bout. Je le vois de temps en temps. Il peut rester six mois sans apparaître. Il a vingt ans maintenant. C'est un garçon sensible et intelligent, timide. Sa vie a été coupée en deux par la drogue. Il est algérien. Son père est mort dans un accident de voiture. Sa mère est retournée dans son pays. Une de ses sœurs est prof d'anglais, l'autre va au lycée.

Lakdar est venu il y a quelques jours. Il ne savait pas où aller.

« Qu'est-ce que tu fais, Lakdar, en ce moment ?

— Je vends des pommes de terre sur les marchés.

— Ça te plaît ?

— Oui ça me plaît, les gens sont gentils, c'est vivant. »

J'aime beaucoup Lakdar. Il est discret, courtois. Nous nous comprenons bien. Entre lui et moi la communication est immédiate. Je recommence à parler arabe avec lui. Qu'il vienne ici me fait plaisir. Je n'aime pas quand il disparaît trop longtemps, j'ai peur qu'il ne se remette à se droguer. J'ai mis longtemps à lui parler.

« Lakdar, c'est vrai que tu étais junky [3] ?

1. **Se défoncer** : atteindre un état d'ivresse hallucinatoire en se droguant.
2. **Cafard** : tristesse.
3. **Junky** : drogué.

— Oui c'est vrai.

— Comment c'est arrivé ?

— C'était après la mort de mon père, j'étais en terminale. Je suis parti pour Marseille. J'avais pas de maison, rien. J'ai rencontré une fille qui m'a plu. Elle était junky. Junky depuis l'âge de treize ans. Tu te rends compte. La première fois que je l'ai vue se piquer [1] j'étais comme un fou. Autour d'elle il n'y avait que des junkies qui faisaient pareil. Ses parents étaient riches. Sa mère lui donnait de l'argent. Tout passait à acheter de la came [2]. Nous ses copains on avait de l'héroïne pour pas un clou [3]. Quand je l'ai connue elle avait quinze ans.

— Et toi aussi tu t'es shooté [4] ?

— Pas tout de suite.

— Pourquoi ?

— Ça me disait rien. En même temps j'avais envie de savoir. Un jour un copain m'a fait ma première piqûre. Ça se passait dans l'escalier d'un immeuble à Marseille. Il s'est piqué d'abord puis il m'a piqué au bras. Il fallait se dépêcher, il pouvait y avoir des gens qui seraient entrés ou sortis. On était assis sur les marches de l'escalier. Quand la drogue a atteint mon cœur, enfin c'est l'impression que j'ai eue, que ça arrivait au cœur, j'ai reçu un coup formidable. Ça m'a vraiment défoncé. Je me suis levé et je titubais [5] comme si j'étais soûl. On s'est retrouvés dans la rue. Le copain me courait derrière. Il disait : « Ça va pas non, tu vas pas crever [6] dans la rue pour la première fois. » Il avait vachement [7] peur. Moi, au bout d'un moment ça allait mieux ; je

1. **Se piquer** (fam.) : s'injecter un stupéfiant.
2. **Came** (f., fam.) : drogue.
3. **Pour pas un clou** (fam.) : pour rien.
4. **Se shooter** (fam.) : se droguer.
5. **Tituber** : vaciller.
6. **Crever** : mourir.
7. **Vachement** (fam.) : très.

me sentais cool [1].

— Comment cool ? Dis-moi. Les choses étaient différentes ?

— Non, pas avec l'héroïne. Les choses sont les mêmes. Mais toi, tu es meilleur, tu es cool et tu es honnête. Tu as des rapports vachement directs et simples avec les gens. La chose c'est que tu ne peux plus baiser [2] ni pisser.

— Ça te gênait ?

— Pas du tout. Je n'y pensais qu'après.

— Et quand tu descends, comment c'est ?

— Ça se fait doucement, tu t'en rends pas compte. La seule chose c'est que quand tu es complètement descendu tu es nerveux. Tu ne supportes plus personne. Tu es comme une pile électrique. Les gens que tu aimais deux heures avant tu ne peux plus les supporter. Alors tu n'as plus qu'une chose à faire c'est d'en prendre une autre dose. Pour retrouver la paix et la gentillesse.

— Ça dure combien de temps une dose ?

— Ça dure longtemps. Au début ça dure au moins dix heures et puis on plane. Après tu en as besoin plus souvent.

— Comment tu t'en es sorti ?

— C'est un Hollandais que je ne connaissais pas qui m'a trouvé dans la rue et qui m'a remonté à Paris.

— Quel âge avait-il ?

— Dans les vingt-cinq ans. Je ne sais pas. Il m'a payé le voyage et à manger jusqu'à ce que je me rende compte que ça ne pouvait pas continuer. Alors je suis allé me faire désintoxiquer.

— Ça a duré combien de temps ?

— Deux mois en tout.

— Qu'est-ce que tu faisais ?

— Je ne faisais que dormir.

— Et qu'est-ce qui s'est passé quand tu es sorti ?

— Le jour même de ma sortie je me suis repiqué.

1. **Cool** (fam.) : calme et détendu.

2. **Baiser** (fam.) : faire l'amour.

— Pourquoi ? Tu y étais pourtant allé de toi-même. On ne t'avait pas forcé.

— Oui, mais pendant la cure je ne prenais plus de drogue, c'est tout. Il ne s'est rien passé d'autre au fond, à l'intérieur de moi. Quand j'ai été dehors, c'était comme avant.

— Alors, qu'est-ce qui s'est passé ?

— J'ai retrouvé la fille de Marseille. Elle était tombée dans une merde terrible. L'héroïne ça détraque [1] les nerfs et tout le corps tu sais. Quand j'ai vu ce qu'elle était devenue j'ai compris que je ne voulais pas devenir comme ça. Ça allait mal pour moi physiquement. Je ne voulais pas ça. Je ne voulais pas être une loque [2] comme ça. On en était arrivé à se piquer dans les gencives. Parce que les flics, la première chose qu'ils font c'est de regarder tes bras. J'ai perdu mes dents. Alors j'ai décidé de faire une autre cure et cette fois je n'ai pas recommencé. J'ai trouvé du travail.

— Il t'arrive d'avoir envie de la drogue ?

— Non jamais. Tu vois, quand on plane c'est formidable. J'ai un très bon souvenir de cette franchise [3], de cette simplicité, de cette facilité que la drogue procure. Vraiment on plane, on est cool, la vie est belle, les gens sont bons. Mais la nervosité quand tu descends, cette exaspération qui vous prend, ça c'est dégueulasse [4]. Et puis la fille, elle m'écrit toujours de temps en temps. Ça fait mal au cœur. Il paraît que son corps est tout pourri [5]. Elle va mourir bientôt. Je plains les junkies. »

Rien qu'à cause de Lakdar je n'enlèverai jamais la clé de la porte d'entrée. C'est capital que les jeunes aient un lieu chaleureux où se retrouver.

Ce qui est capital aussi c'est de leur trouver du travail.

1. **Détraquer** : troubler, déranger.
2. **Loque** (f.) : personne sans énergie.
3. **Franchise** (f.) : sincérité.
4. **Dégueulasse** (fam.) : dégoûtant.
5. **Pourri** : détérioré.

Découvrons ensemble ...

... ce que la narratrice pense des jeunes et de la drogue

- Qu'est-ce qui caractérise la famille des jeunes qui fréquentent sa maison ?
- « Ils se contentent de faire des allusions à leur maison comme si c'était une prison ou un endroit où ils s'ennuient mortellement. » Commentez cette phrase en soulignant l'attitude de la narratrice envers les jeunes.
- Relevez dans le texte toutes les expressions où l'opinion de la narratrice à propos de la drogue est évidente, de façon à pouvoir synthétiser son point de vue à ce sujet.
- Quelle est sa réaction devant le jeune drogué dans la rue ? Comment se comportent les autres passants ?
- « Rien qu'à cause de Lakdar je n'enlèverai jamais la clé de la porte d'entrée. C'est capital que les jeunes aient un lieu chaleureux où se retrouver. » Commentez cette phrase et dites pourquoi, selon vous, la narratrice est arrivée à cette conclusion.

... ce que la musique représente pour les jeunes

- Lisez le texte et remplissez cette grille :

Type de musique que la narratrice écoutait pendant sa jeunesse	Type de musique appréciée par la génération de ses enfants	Rôle de la musique dans la vie des jeunes

- Utilisez maintenant les données que vous avez recueillies et commentez la phrase suivante :
  « Leurs disques ce sont nos livres. Ils sont pleins d'histoires, de messages, de rêves, d'aventures. »

... le rôle de la famille et du lycée dans la vie des jeunes

- Faites une comparaison entre le rapport que la narratrice a eu avec sa mère et le rapport qu'elle cherche à avoir avec ses enfants.
- Pourquoi est-ce qu'elle pense que « les enfants deviennent un capital dans lequel on investit » et que « dans l'amour qu'on a pour eux, il y a une bonne part d'attendrissement sur soi-même » ?

- D'après ce que vous avez lu, dites pourquoi la narratrice pense que :
  « La famille est, généralement, un carcan qui pèse lourd, qui blesse les jeunes et les adultes. »
- Est-ce que, selon la narratrice, le lycée est capable de satisfaire les besoins des jeunes ?
- Pourquoi est-ce qu'elle n'est pas d'accord avec les autres parents et part avant la fin de la réunion ?

... l'histoire de Lakdar

- Pour mieux pouvoir décrire le personnage de Lakdar, remplissez la grille suivante :

Aspect physique	Nationalité	Caractère	Famille	Problèmes

- Vous êtes un journaliste qui, après avoir interviewé ce garçon, écrit un article pour un magazine destiné aux jeunes.
- Lisez ce que Lakdar raconte à propos des effets de la drogue et imaginez que, au cours d'une campagne contre la drogue, Lakdar s'adresse aux jeunes pour qu'ils ne répètent pas la même expérience que lui.

Analysons le récit

- Les extraits suivants appartiennent à la langue familière orale. Pouvez-vous les transformer en français standard ?
  - *C'est facile d'être au courant des drames officiels.*
  - *Tout passait à acheter de la came.*
  - *Nous ses copains on avait de l'héroïne pour pas un clou.*
  - *Et toi aussi tu t'es shooté ?*
  - *Ça me disait rien.*
  - *Tu as des rapports vachement directs et simples avec les gens.*
  - *Il avait vachement peur.*
  - *Ça se fait doucement, tu t'en rends pas compte.*
- Retrouvez les huit subdivisions qui composent cette troisième partie du roman et donnez-leur un titre.

Discutons ensemble

1. Définissez votre famille en choisissant parmi les mots suivants celui ou ceux qui vous semble/nt le mieux correspondre à votre situation :

   prison - nid - pagaille - paradis - guerre - cocon

   Justifiez ensuite votre/vos choix.
2. Quel devrait-être, à votre avis, le rôle du lycée dans la vie des jeunes ?
3. Quelles sont, à votre avis, les responsabilités que le lycée rejette sur les parents et celles que les parents rejettent sur le lycée ?
4. Est-ce que vous pensez que la musique parle un langage universel ?

5. Est-ce que vous écoutez la musique très fort « pour être complètement occupés par elle » et parce qu'« elle est plus qu'un simple divertissement » ? Justifiez votre réponse.
6. Est-ce qu'il vous est déjà arrivé de voir un drogué en manque dans la rue ? Si oui, décrivez la scène en vous inspirant de la description de Marie Cardinal.

Mots à retenir pour ...

... parler des problèmes des jeunes

Travail — Avoir du mal à
Être au chômage — S'entendre
Conflit — Génération
Se droguer / se piquer / se shooter / se camer
Être en manque — Jeunesse déchirée
Planer — Carcan — Servir de cobaye
Rejeter ses responsabilités — Punition

- Écrivez un paragraphe sur la condition de la jeunesse de nos jours. Comparez les problèmes des jeunes d'aujourd'hui à ceux des jeunes des années 70.

À L'HISTOIRE de Lakdar vient s'accrocher l'histoire de Sophie qui n'est pas à proprement parler une droguée. De quoi réfléchir au rôle de la solitude, à celui de la famille. Cela se passait il y a près d'un an. C'était le soir. J'étais assise à la table du salon :

La porte s'ouvre et je vois entrer une très jolie fille que je ne connais pas. Immense, blonde, inquiète.

Elle embrasse Charlotte, Grégoire, puis vient vers moi.

« Je suis Sophie. »

Sophie, c'est cette belle fille qui était dans le même collège que Grégoire et dont il était éperdument amoureux. À l'image de Sophie s'accroche, très floue [1], l'idée de fugue et de drogue. Les enfants m'avaient parlé d'elle mais je ne parvenais plus à me rappeler quoi que ce soit de précis en ce qui la concernait. Et, pour faire quelque chose, je m'entends dire en l'embrassant :

« J'espère que tu ne t'es pas encore sauvée [2].

— Pas du tout, je suis en règle. »

Je suis ravie parce que Grégoire est ravi. Selon mon bon principe je ne me mêle pas de ce qui ne me regarde pas, si bien que je n'essaie pas de saisir ce qu'ils se racontent dans la chambre de Charlotte où ils se sont installés à quatre ou cinq. Puis je me couche et au moment où je vais m'endormir Odile frappe à ma porte, entre et me dit que Sophie a fugué, qu'elle habite en Belgique et qu'elle s'est sauvée de chez elle.

Je n'aime pas beaucoup Odile qui dramatise toutes les situations, qui ment et qui fabule. Elle m'a souvent parlé de ses parents en des termes très sévères, alors que je sais que ses parents se donnent beaucoup de mal [3] pour la comprendre. Finalement elle fait ce qu'elle veut, elle obtient ce qu'elle désire mais elle continue à taper sur [4] eux. Je n'aime pas ça. Qu'ils

1. **Flou** : dont les contours sont peu nets.
2. **Se sauver** : s'en aller, fuir.
3. **Se donner du mal** : faire des efforts.
4. **Taper sur** (fam.) : dire du mal de quelqu'un en son absence.

soient maladroits, qu'ils mènent une vie de bourgeois qu'elle n'approuve pas, c'est possible, mais cela ne la regarde pas. Ils ne lui donnent pas ce qu'elle demande comme on donne un os à un chien, pour s'en débarrasser. Je sais qu'ils discutent beaucoup avec elle. Le seul tort qu'ils ont, et je ne trouve pas que cela en soit un, c'est de lui dire : « D'accord, tu nous as convaincus qu'il te fallait telle ou telle chose, tu vas l'avoir. Mais nous ne t'approuvons pas, nous ne te comprenons pas, nous ne voyons pas la nécessité de cette chose. » Il y a bien pire comme comportement de parents. Odile est pourtant celle qui se lamente le plus.

Donc le fait qu'elle vienne me raconter que Sophie est en fugue ne me touche pas beaucoup sur le moment et je pense : « Demain il fera jour, pour le moment je ne peux rien faire. »

Le lendemain Grégoire va travailler de bonne heure, je le trouve dans la cuisine devant son petit déjeuner.

« C'est vrai que Sophie fait une fugue ?

— Oui c'est vrai.

— Qu'est-ce qu'elle veut ?

— Elle veut venir vivre avec nous à Paris, travailler, elle en a marre [1] de ses vieux.

— Quel âge a-t-elle ?

— Quinze ans.

— Il faut prévenir ses parents, ils doivent se faire un mauvais sang [2] terrible. Je ne le ferai pas si tu n'es pas d'accord.

— Faudrait que tu parles avec elle. Ça ne serait pas mal si elle restait quatre ou cinq jours ici. Faut que tu lui parles.

— Tu vois, dans l'histoire je me mets à la place de ses parents. Ils doivent être très inquiets.

— Oh ! tu sais c'est pas la première fois qu'elle fout le camp [3]. Ses parents c'est des drôles de gens. Son père est milliardaire, c'est un collectionneur de tableaux. Tu peux pas savoir comment

1. **En avoir marre** (fam.) : en avoir assez.
2. **Se faire du mauvais sang** : s'inquiéter.
3. **Foutre le camp** (fam.) : s'en aller.

c'est chez eux. Y a des Picasso dans les chiottes [1], des Léger dans le couloir. Les murs de sa chambre sont entièrement peints par Matisse. Sa mère est tellement belle que ça te coupe le souffle. »

Je me dis que Grégoire exagère. Surtout qu'il n'a jamais mis les pieds chez Sophie. Il répète ce que dit Odile qui multiplie elle-même tout par mille.

Je vais réveiller Sophie qui dort avec un bras replié sur son visage comme pour se protéger. Je ne peux pas m'empêcher de penser qu'elle vient de passer la nuit avec mon fils. Cela m'intimide et, il faut bien le dire, cela me gêne. Grégoire a dix-sept ans, est-il assez mûr pour cette adolescente ? Vieux préjugés, vieux principes. Hier soir j'en ai rapidement parlé à Grégoire. Je lui ai demandé s'il savait bien les responsabilités que cela représentait. Il m'a répondu très gentiment qu'il le savait, qu'il n'était pas le premier, au contraire qu'elle s'était fixée sur lui.

« Et si tu lui fais un enfant ?

— Ne t'inquiète pas, je ne lui ferai pas d'enfant. »

Il m'a répondu si calmement que je n'avais plus rien à dire.

Sophie n'est pas étonnée de me voir, elle sourit, elle sort de son sommeil, elle s'étire comme si elle prenait du plaisir à montrer son beau corps très long, très blond. Moi, je suis de plus en plus embarrassée toujours à cause de Grégoire, Je me sens responsable. Comme pour me rassurer elle annonce en riant :

« Je me suis bien reposée, j'ai passé une bonne nuit. »

Il n'y a plus de distance entre nous.

« Sophie, je sais que tu t'es barrée [2] de chez toi. Je pense qu'il faut prévenir tes parents.

— Mon père ne me trouvera jamais ici. Il va d'abord chercher ailleurs. Le temps qu'il pense à Paris il y aura au moins trois jours de passés.

— C'est possible, mais moi je ne peux pas entrer dans ces considérations. Je me mets à sa place, je serais malade de perdre

1. **Chiottes** (f., fam.) : toilettes.

2. **Se barrer** (fam.) : s'enfuir.

un de mes enfants dans la nature pendant trois jours. Je ne ferai rien si tu n'es pas d'accord. Mais je te dis que personnellement j'aimerais téléphoner à ton père. Je lui dirai qu'il te laisse quelques jours ici. J'arrangerai les choses.

— Il va me faire encore le coup de la crise cardiaque. À chaque fois c'est la même chose, il veut me mettre sa mort sur la conscience : si je fais des bêtises il en mourra. C'est du chantage [1].

— Et ta mère ?

— Ma mère, elle ne m'a pas adressé la parole depuis des mois. Quand je la rencontre dans l'escalier elle se détourne. Elle ne veut rien de moi. Ni mes amis, ni mes disques. Ma sœur s'est sauvée quand elle avait seize ans. Maintenant elle en a dix-neuf, elle vit en Suède, elle est très heureuse. Mon père a dit que je pourrai faire pareil quand j'aurai seize ans. Pas avant. Moi, je ne peux pas attendre.

— Quel âge a ton père ?

— Dans les soixante ans, un peu plus.

— Et ta mère ?

— Trente-huit, trente-neuf. Elle est très belle. Elle n'aime pas nous voir grandir. Elle a fait pareil avec ma sœur. Tu comprends mon père est un peu vieux pour elle, alors elle a des copains. Elle a l'air d'avoir trente ans, même pas. Jusqu'au moment où on se pointe [2], ça l'encombre. Mon père lui, il n'a qu'une seule peur c'est qu'elle s'en aille... Alors il nous prend dans un coin et il nous fait la morale. « Je vous en supplie soyez gentilles, sinon votre mère va s'en aller. Vous la fatiguez trop » — ou c'est la crise cardiaque. J'en ai marre, j'en ai marre. Quand je suis rentrée du collège ils m'ont loué un studio à Genève où je vivais seule. Puis il y a une copine qui est venue s'installer chez moi. On a un peu fumé, on a eu des ennuis avec la police, alors ils m'ont mise dans la pension où je suis maintenant. Je déteste cet endroit. Je ne veux pas rester là-dedans. C'est de là que je me suis sauvée.

1. **Chantage** (m.) : extorsion d'argent sous la menace d'un scandale.

2. **Se pointer** (fam.) : arriver.

Je me suis débrouillée [1] pour prendre mon passeport chez la directrice pendant la semaine et puis j'ai fait la sage pour qu'ils ne se méfient pas et puis dimanche je me suis sauvée. J'ai été jusqu'à la frontière avec mon Solex, ils m'ont laissée passer puisque j'avais mes papiers. Mais de l'autre côté, j'ai pris le train.

— Le dimanche tu ne vas pas chez toi ?

— Pas tous les dimanches. Pourquoi j'irais chez moi ?

— Finalement qu'est-ce que je fais, je téléphone à ton père ou non ?

— Téléphone-lui. Il ne parle pas français. Il est allemand. Il parle anglais. »

Sur un papier elle note le nom et le numéro de téléphone.

Toute cette histoire commence à me mettre en retard. Mais je tiens à prévenir les parents le plus vite possible.

J'obtiens le père au téléphone.

« Allô, monsieur X. Bonjour, monsieur... »

Politesse, présentations, il ne comprend pas du tout pourquoi quelqu'un lui téléphone de Paris, son anglais n'est pas meilleur que le mien. Finalement il comprend que Sophie est chez moi.

« À Paris ! Mais pourquoi ?

— Parce qu'elle a connu mes enfants et elle est arrivée hier soir. Elle devait avoir envie de les voir. »

Je me rends compte que je lui parle comme à un malade. Je lui explique que Sophie va très bien mais qu'elle est dans un mauvais état nerveux, que peut-être cela lui ferait du bien de rester cette fin de semaine à la maison.

« Je ne peux pas prendre de décision. C'est la directrice de sa pension qui doit en prendre. »

Je trouve que c'est une drôle de réaction mais, après tout, cela ne me regarde pas.

« Je vais vous rappeler après avoir parlé avec la directrice. »

Je raccroche, je m'en vais en courant. Cette histoire me dérange, m'envahit trop. Je lui ai donné le numéro de mon

1. **Se débrouiller** (fam.) : se tirer d'affaire.

bureau. Il a aussi celui de la maison. J'essaie de ne pas y penser. Je reviens chez moi le plus tôt possible. Dix minutes après mon arrivée le téléphone sonne. Une voix de femme à l'appareil, très militaire, germanique.

« Allô, madame. Est-ce que c'est chez vous que se trouve Sophie Schneider ? »

Moi qui crois que c'est la mère et qui reprends mon ton aimable et consolateur :

« Mais oui, madame. Sophie est en très bonne santé, elle a très bien dormi. Voulez-vous lui parler ?

— Madame, je suis la directrice de la pension d'où Sophie s'est sauvée. Vous êtes responsable de sa fugue.

— Comment ça ?

— Vous avez accueilli chez vous une mineure [1] en fugue. Vous savez que ses parents ont confié leurs droits à la police belge. C'est donc à la police belge que vous devez rendre des comptes.

— Je ne le savais pas.

— C'est votre tort. Quand on accueille un mineur chez soi on doit au préalable s'assurer que la famille est d'accord. La famille de Sophie, c'est la police belge.

— Moi, madame, quand je vois un jeune qui arrive chez moi à neuf heures du soir et qui demande à dormir chez moi je lui donne un lit. Vous auriez préféré que je la mette à la rue ?

— Ça c'est une considération affective. Ce n'est pas une considération légale.

— Écoutez, madame, tout cela commence à être invraisemblable. Que dois-je faire pour que cette histoire ne prenne pas une ampleur inconfortable ? Je vous assure que je n'ai pas enlevé [2] Sophie, qu'elle est venue ici de son plein gré [3], que je ne l'avais jamais vue auparavant.

1. **Mineur** (m.) : qui n'a pas encore vingt et un ans ; aujourd'hui, la majorité est à dix-huit ans.
2. **Enlever** : ravir, kidnapper.
3. **De son plein gré** : volontairement.

— Vous devez la mettre dans le prochain train pour Bruxelles. Si elle est ici avant demain midi nous ne donnerons pas de suite à cette affaire.

— Bien, vous pouvez être certaine qu'elle prendra le train. »

Je raccroche furieuse contre Sophie, contre les enfants, contre tout le monde. J'ai horreur des salades [1] de ce genre.

« Sophie, tu ne m'avais pas dit que tu étais sous la tutelle de la police belge. Qu'est-ce que c'est que cette histoire ?

— C'est quand j'ai fumé avec ma copine et qu'on s'est fait piquer par le flic [2]. Mon père a eu tellement la trouille [3] d'avoir des ennuis à la maison à cause de ça qu'il a préféré abandonner ses droits à la police.

— Tu te rends compte dans quel pétrin [4] tu nous mets ? »

La soirée est avancée, il faut qu'elle prenne le train. Par-dessus le marché c'est la grève du métro, les rues sont encombrées, ça ne circule pas du tout. Je sens une grande fatigue. Surtout que le lendemain de bonne heure je dois mener le petit Sébastien à Orly. Je téléphone à Air France.

On m'apprend qu'il y a un avion pour Bruxelles qui décolle à peu près en même temps que celui de Sébastien et qui amènera Sophie avant l'arrivée du train prévu par la directrice. Je ferai d'une pierre deux coups [5] et je ne traînerai pas dans les encombrements [6] de la ville.

Je téléphone au père pour lui expliquer ce qui se passe.

« Oui, madame, vous êtes responsable de la fugue de Sophie.

— Ce matin vous n'aviez pas le même ton. Dites plutôt que vous êtes bien soulagé de pouvoir vous décharger une fois de plus de vos responsabilités. Êtes-vous capable de prendre celle

1. **Salade** (f.) : mensonge.
2. **Se faire piquer par un flic** (fam.) : se faire arrêter par un agent de police.
3. **Avoir la trouille** (fam.) : avoir peur.
4. **Pétrin** (m.) : situation embarassante.
5. **Faire d'une pierre deux coups** : atteindre deux buts avec la même action.
6. **Encombrement** (m.) : embouteillage.

qui consiste à prévenir la directrice, dont je n'ai ni le nom ni le numéro de téléphone, que Sophie arrivera par avion et non par train et qu'elle sera à Bruxelles plus tôt que prévu ?

— Par avion ?

— Oui. C'est la grève du métro, je suis fatiguée et demain matin je dois aller à Orly.

— Par avion ? Qui va payer ? Je n'ai pas les moyens de régler cela.

— Eh bien je le ferai.

— Envoyez un télégramme avec le numéro du vol et l'heure exacte d'arrivée.

— C'est cela. Au revoir, monsieur. »

Ecœurant [1]. Ecœurant.

Sophie se fout complètement de [2] tout cela. Pendant la journée elle a été le centre d'intérêt, le clou [3]. C'est tout ce qu'elle demande, qu'on s'occupe d'elle.

Elle parle de son père, mécène [4] qui a dépensé une énorme fortune pour aider les peintres, qui les a logés chez eux, les a nourris. Oui c'est vrai qu'il y a des Matisse et des Utrillo partout et des Picasso et des Léger.

Comment se fait-il qu'il ne comprenne pas ses enfants, leurs problèmes d'adolescents, leur difficulté à se trouver ? Sa vie maintenant c'est de garder sa femme à tout prix. Sauf au prix de ses tableaux dont il ne veut vendre aucun.

Le lendemain j'embarque Sophie dans son avion.

Deux jours après elle écrira une lettre dans laquelle elle dira qu'à son arrivée à Bruxelles la police l'a fouillée [5] de fond en comble [6] pour être sûre qu'elle ne ramenait pas de drogue. Puis

1. **Ecœurant** : décourageant.
2. **Se foutre de** (fam.) : se moquer de.
3. **Clou** (m.) : centre de l'attention.
4. **Mécène** (m.) : personne riche qui aide les artistes.
5. **Fouiller** : chercher soigneusement ce que quelqu'un peut cacher sur lui.
6. **De fond en comble** : partout.

elle a vu son père qui transpirait à l'idée qu'on avait pu trouver quelque chose sur elle. Elle a réintégré sa maison de correction. Elle se plaint que personne ne l'aime, que Grégoire ne l'aime pas.

Sophie Schneider, belle et blonde, une enfant, une petite fille qui sait tout du luxe, qui a la voix qu'il faut pour se faire servir, qui étudie dans sa « pension » belge pour devenir standardiste !

Sophie livrée [1] à elle-même, cherchant l'amour éperdument, névrosée, traînant avec sa haute taille et ses allures de mannequin un désarroi [2] poignant [3].

C'EST incroyable le mal qu'ils ont à trouver du travail !

À leur âge on a envie de vivre vite, tout de suite, et justement, pour en arriver là où ils veulent, il faudrait faire des études très longues, sans même savoir si, une fois leur diplôme en poche, ils ne seront pas au chômage [4]. Ils ont l'impression qu'on leur ferme le monde au nez.

Ils sont tellement nombreux. Près de la moitié des Français ont moins de vingt-cinq ans ! Cinq cent cinquante mille jeunes, chaque année, arrivent sur le marché de l'emploi !

Ils rêvent tous de s'expatrier, de foutre le camp dans des endroits moins peuplés. Le sac au dos, la guitare en bandoulière [5]. Ils croient qu'ils vont trouver le paradis.

C'est normal que la drogue les attire. À mon avis, dans les milieux bourgeois, le gros de la vague est passé. Quelques cigarettes de temps en temps puis plus rien, finies les drogues dures et l'héroïne. Ils ont peur pour leur corps. Ils savent que c'est rapide la déchéance [6] de ce côté-là.

1. **Livré** : abandonné.
2. **Désarroi** (m.) : confusion, angoisse.
3. **Poignant** : qui déchire le cœur.
4. **Être au chômage** : être sans travail.
5. **En bandoulière** : suspendu au moyen d'une bretelle.
6. **Déchéance** (f.) : déclin.

Maintenant ce sont les jeunes ouvriers qui se droguent. Cela fait peur. Ce qui fait peur c'est le chemin qu'ils ont dû obligatoirement prendre pour en arriver là. On parle de curiosité, d'évasion, de rêverie. Je t'en fous, c'est d'écœurement qu'il s'agit de désespoir. La drogue est un fameux révélateur.

Ou on s'y enfonce et c'est la déchéance rapide, la compromission dégoûtante, le ravalement [1] bestial : mendier, voler, lécher les bottes de n'importe qui pour avoir sa ration. Ou on en sort et c'est la constatation froide d'une pourriture bien vue, d'un sordide marché aux esclaves, de la plus laide exploitation du consommateur.

Encore une fois j'enfonce des portes ouvertes [2] mais je n'ai pas encore compris pourquoi : 1) on ne laissait pas le hachisch en vente libre au même titre que l'alcool ; 2) pourquoi on ne rachetait pas les champs de pavot d'Asie Mineure.

Est-ce que tous les pays riches concernés par la drogue n'ont pas assez d'argent pour aider les pays producteurs d'opium à se constituer une autre agriculture ? Est-ce que cela représente une somme tellement formidable ?

Où sont les intérêts là-dedans ? Où sont les salauds [3] ? Où, une fois de plus, sont les menteurs les hypocrites ?

EST-CE QUE Jean-François, pauvre petit pusher [4] de rien du tout, en taule [5] en Belgique, ne sait pas parfaitement qu'il vient de se compromettre officiellement avec un système qui l'écœure ? Oui il le sait. Tous ceux qui usent de la drogue le savent. C'est une grande humiliation.

1. **Ravalement** (m.) : avilissement.
2. **Enfoncer des portes ouvertes** : s'efforcer de démontrer une chose évidente.
3. **Salaud** (m., fam.) : personne méprisable.
4. **Pusher** (fam.) : dealer, revendeur de drogue.
5. **Taule** (f., fam.) : prison.

J'ai un peu de répugnance à parler de Jean-François parce que je ne le comprends pas et, bien qu'il soit venu souvent, je ne le connais pas. Il habite le quartier et pourtant je ne l'avais jamais vu avant l'année passée.

Il est très mince, assez long, de grands cheveux frisés blonds, des lunettes de fer rondes qui, lorsqu'il les enlève, laissent apparaître un visage fin d'une jeunesse fragile et aiguë. Il est considéré comme le cerveau des Dalton, l'intellectuel du coin. Il a eu dix-sept ans à Noël.

Ceux que j'appelle les Dalton sont quatre garçons : Bertrand, Jean-François, Yves et Dody.

Il y a déjà deux mois que j'ai flanqué les Dalton à la porte [1]. Je savais que je ne pouvais plus les laisser venir, que leur présence était nuisible [2]. Le problème que ce groupe-là soulève est angoissant. Ils relèvent du psychanalyste. Je ne peux plus rien faire pour eux.

J'ai remâché [3] ma contrariété pendant plusieurs jours, une dizaine. Je ne les supportais plus, je détestais l'influence catastrophique qu'ils avaient sur les autres. Un soir j'ai pris mon courage à deux mains et j'ai lâché le paquet [4] :

« Les Dalton, je ne veux plus vous voir ici. Vous ne venez que pour bouffer [5] et dire des conneries [6]. Je vous prends pour des petits « réacs » [7] paresseux et vous me prenez pour une succursale de l'Armée du salut. On ne peut pas s'entendre.

« Je ne suis pas une sœur de charité. J'aime bien trouver la bande des copains de mes enfants le soir quand je rentre. Parce qu'ils me distraient, ils me changent les idées, ils m'enrichissent.

1. **Flanquer à la porte** (fam.) : chasser de chez soi.
2. **Nuisible** : dangereux, nocif.
3. **Remâcher** : revenir sans cesse sur.
4. **Lâcher le paquet** (fam.) : critiquer d'une façon sévère.
5. **Bouffer** (fam.) : manger.
6. **Connerie** (f., fam.) : bêtise.
7. **Réac** (fam.) : réactionnaire.

Vous, les Dalton, j'ai l'impression que j'ai fait le tour de vous. Je connais votre vocabulaire, vos idées aussi. Vous n'évoluez pas. Vous avez trouvé quelques formules, on les connaît par cœur. Maintenant vous m'ennuyez. Quand j'arrive et que je vous vois c'est comme si je retrouvais les gens avec lesquels je travaille. Figés dans une existence qui ne m'intéresse pas. Vous vous êtes installés dans la débilité comme eux le sont dans leurs maisons de campagne qui me barbent [1] profondément. Alors salut, ciao banana, foutez-moi le camp. »

Ils sont partis sans rien dire.

En gros la réaction des autres a été : « Tu as bien fait. » Grégoire m'a même avoué qu'il était sur le point de leur casser la gueule ! Charlotte n'a pas manifesté mais n'a pas paru affectée [2]. Elle sentait que c'était dans l'air.

Cela ne m'a pas empêchée de penser aux Dalton. C'est que je les rencontre souvent dans le quartier, juchés sur leurs Solex comme des épouvantails sur de la ferraille. Ou bien je les croise sur un trottoir, las, frileux.

Ils posent de graves problèmes. Ils sont au bord de la délinquance, du désespoir.

Yves était celui que je préférais. Il paraît qu'il est de plus en plus camé. Pourtant dans la journée il travaille comme saute-ruisseau [3]. Il est le seul qui travaille régulièrement et depuis longtemps dans la même place. Il a été reçu à son bachot, il suit des cours à l'université.

À Noël il s'était fait couper les cheveux pour aller voir sa grand-mère. Ce désir n'avait choqué personne.

« Elle en crèverait la pauvre femme si elle me voyait comme ça. »

1. **Barber** (fam.) : ennuyer.
2. **Affecté** : touché.
3. **Saute-ruisseau** (m.) : jeune garçon de courses.

Au début il voulait que je lui crêpe [1] les cheveux. C'était impossible. À la rigueur on aurait pu lui faire une coiffure raisonnable qui aurait duré quelques heures mais il restait deux jours chez sa grand-mère.

Il est allé chez un coiffeur pour hommes à cheveux longs et il en est revenu avec une frange et des cheveux mi-longs ondulés. C'était invraisemblable. J'aime bien la tête d'Yves. Il a hérité de sa mère qui est une belle Suédoise, d'un physique à jouer du Strindberg : les cheveux blonds et fins, les yeux délavés, les pommettes saillantes [2], un grand corps décharné [3], une grande bouche aux lèvres rouges et sèches.

Sa mère est partie quand il était petit. Je ne sais pas exactement l'âge qu'il avait. Elle vit actuellement avec un Vietnamien dont elle a deux enfants. Le père s'est remarié de son côté et a d'autres enfants. Yves vit chez lui.

Un jour il s'est amusé avec les autres Dalton à s'habiller et à se maquiller en fille. Avec un filet qui avait contenu des mandarines il s'était fait une sorte de coiffure genre Figaro. Il se regardait dans la glace et il disait : « Moi je rencontrerais une fille comme ça dans la rue, j'en serais fou-dingue. »

Je lui ai demandé s'il ressemblait à sa mère. Il a répondu « oui » et il s'est mis à me parler d'elle avec un amour impossible à dissimuler. Il ne pouvait plus s'arrêter. Il a même été jusqu'à sortir de son portefeuille des photos d'elle, seule, ou avec lui bébé. De vieilles photos qui dataient de l'époque du new-look. On y voyait une très belle femme, dans le genre pin-up [4], et un petit bébé blondinet [5]. Certaines de ces images étaient des morceaux de photos qu'il avait découpés pour isoler le visage de sa mère. Il avait aussi des photos de son frère et de sa sœur

1. **Crêper** : friser.
2. **Pommettes saillantes** : pommettes qui avancent.
3. **Décharné** : amaigri.
4. **Pin-up** (f.) : jolie fille.
5. **Blondinet** (m.) : enfant blond.

vietnamiens.

Un soir Yves a dit : « Le jour où je me suis rendu compte que j'étais le mec [1] le plus débile de Paris je me suis mis à flipper [2] comme un dingue. »

Cette phrase m'a agacée profondément. D'abord parce que j'aimais beaucoup Yves, ensuite parce qu'en prononçant ces mots il devenait un héros aux yeux des autres.

J'ai mis longtemps à comprendre que la débilité était une arme à double tranchant [3]. Tout ce qui est extérieur à leur monde est débile et eux-mêmes, dans leur monde, sont débiles. À s'enfoncer là-dedans c'est vraiment débilitant. Plus on est débile plus on est intéressant à l'intérieur de leur univers. Un « mec fricky qui est vachement débile, superdébile », c'est le fin du fin.

À les écouter parler on en arrive obligatoirement à admettre que la seule existence possible c'est celle de la larve, de l'amibe.

Quelle attitude avoir ? Comment leur parler ? C'est vrai ce qu'ils disaient : comment accepter de s'intégrer à un système qui offre une image si laide ? Les déclarations d'impôts du Premier ministre, le pusher qui se fait prendre aux États-Unis et qui trafique avec l'assentiment du SDEC [4], l'affaire de Bruay qui envahit les colonnes à la place des commentaires du référendum, les années d'études qui aboutissent au chômage, les diplômes qui ne servent pas à grand-chose, l'argent qui ouvre toutes les portes ! Ils parlaient pendant des heures de la grève du « Joint français. »

« Nous, on travaillerait dans une entreprise pareille on se mettrait jamais au chômage !... »

Ils sautaient des commentaires des événements français à des considérations générales : si on s'évade du système on trouve

1. **Mec** (m., fam.) : homme.
2. **Flipper** (fam.) : être déprimé ; ce verbe signifie aussi « se sentir abattu quand la drogue a fini son effet ».
3. **Arme à double tranchant** : qui peut provoquer des effets opposés (et se retourner contre celui qui l'emploie).
4. **SDEC** : services secrets français.

très rapidement, une fois passée l'euphorie de se sentir en liberté, l'être humain qui court après sa mort, la mort qui ne veut rien dire, le corps qui souffre de faim, de froid, de manque. Débilité universelle ! Angoisse.

Moi, je discutais comme une folle.

« Si vous preniez un engagement politique la vie aurait un sens. C'est de ne pas s'engager qui est débilitant.

— On a tous essayé d'en tâter [1], c'est de la rigolade [2]. Autant s'inscrire aux scouts.

— Pourquoi ne vous tuez-vous pas ? Pourquoi restez-vous là-dedans ? À quoi ça sert ? Ou alors faites la révolution.

— La révolution c'est débile. »

Jean-François est celui des Dalton qui entretient la culture dialectique de la débilité. Il a un vocabulaire plus étendu que les autres. Il a lu plus. Il a sûrement beaucoup parlé avec sa mère qui est une femme intelligente et cultivée. Il vit avec elle. Je ne la connais pas. Les enfants ont pour elle une véritable vénération. Il paraît qu'elle est toute petite et menue. Elle a eu ce fils unique très tard. Elle est fonctionnaire dans un ministère. Elle a perdu son mari il y a deux ans. Il avait été député et c'est une cirrhose du foie qui l'a emporté. Jean-François s'entend très bien avec elle. Mais je crois qu'il lui ment car cette femme était, paraît-il, dans un triste état quand il s'est fait prendre avec de la drogue à la frontière. Chez elle c'est un peu comme chez moi à la différence près que la clé n'est pas sur la porte et que les amis de son fils vont dans la chambre de Jean-François où il y a peu de place. Elle ne sait pas ce qui s'y passe.

Jean-François a lu beaucoup mais mal et partiellement. Il était de ces enfants prodiges, à quinze ans en terminale [3]... À son âge il en sait pas mal et ses jugements péremptoires en mettent plein

1. **Tâter** : essayer.

2. **Rigolade** (f., fam.) : chose ridicule, sans importance.

3. **Terminale** (f.) : dernière année de lycée.

la vue [1] aux autres qui ont tendance à l'admirer et à tout avaler parce qu'ils ne savent pas le quart de ce qu'il sait.

L'autre soir nous avons, une fois de plus, parlé de la drogue. J'ai dit que je la détestais parce qu'elle aliénait.

Jean-François s'empare [2] du mot.

« La drogue n'aliène pas, au contraire, elle enrichit et ajoute de la beauté, du bonheur à la vie.

— Qu'est-ce que cela veut dire pour toi « aliéner » ?

— Cela veut dire déposséder [3]. Marx, en parlant des ouvriers, dit qu'ils sont aliénés parce qu'ils sont dépossédés.

— Je ne me souviens pas que Marx ait employé ce mot dans ce sens, c'est possible, mais le mot « aliénation » tel qu'on l'utilise communément, cela ne veut pas dire dépossédé. Cela veut dire séparé des autres, différent. Allons chercher le dictionnaire. »

En général le sens de aliéner veut dire vendre, donner. Aliéner une terre : abandonner une terre. On peut dire d'une classe aliénée qu'elle est une classe abandonnée. Donc on peut dire de la classe ouvrière qu'elle est aliénée parce qu'elle est abandonnée. Pas dépossédée.

« C'est dans le sens de dépossédé que Marx l'emploie.

— Je n'ai pas le texte de Marx dont tu parles ; de toute façon j'employais le mot aliénation tel qu'on l'emploie pour les fous, ceux qui ont perdu la raison, ceux qui sont séparés des autres. Nous parlions de la drogue. Alors disons qu'elle fait perdre la vie, c'est-à-dire le contact avec les autres. Les drogués sont des abandonnés si tu veux.

— Mais la vie c'est débile, les autres sont des débiles et ceux qui ne se droguent pas sont des super-débiles.

— Je n'aime pas la lâcheté de ceux qui fuient la vie. Au pire on peut se suicider. Tout mais pas fuir.

— Se suicider c'est lâche.

1. **En mettre plein la vue** (fam.) : éblouir.
2. **S'emparer** : prendre possession.
3. **Déposséder** : priver d'une possession.

— Pas dans ce sens-là. Comment accepter jour après jour un univers qu'on exècre [1], que l'on juge entièrement mauvais et pourri sans le moindre espoir d'amélioration ? Refuser totalement et absolument la moindre intégration dans cet univers, ce n'est pas lâche.

— Avec la drogue ça peut passer.

— Crois-tu qu'il est impossible de trouver une autre vie en dehors de la drogue ?

— Impossible.

— Au fond tu es bouffé par [2] cette fameuse culture dont tu dis pis que pendre [3]. Tu en as fait un tour rapide et superficiel mais exhaustif crois-tu, et tu penses qu'en dehors d'elle il n'y a rien puisque tu n'as rien trouvé. Tu lui donnes une bien grande importance. Moi je crois qu'il existe une révolution, une vie, qui ne sont pas encore nées, qui sont à inventer, dont le départ dépend de nous.

— C'est débile.

— L'imagination aussi c'est débile ? »

C'est poignant de les voir rester au bord d'un nouveau monde, le leur, celui qu'ils ont à créer, sans pouvoir passer le pas [4]. Ils piétinent [5] dans le carcan des anciens systèmes usés jusqu'à la corde [6]. Ils sont tellement conditionnés par le passé qu'ils ne peuvent imaginer un avenir sans lui. Leur nouveauté n'est que formelle.

1. **Exécrer** : détester.
2. **Être bouffé par** (fam.) : être englouti par.
3. **Dire pis que pendre** : dire du mal de quelqu'un.
4. **Passer le pas** : franchir les obstacles.
5. **Piétiner** : remuer les pieds sans avancer.
6. **Usés jusqu'à la corde** : vieux.

Découvrons ensemble ...

... l'histoire de Sophie

- Pour mieux connaître Sophie, remplissez d'abord cette grille :

Âge	Aspect physique	Caractère	Famille	Problème principal

- Sophie se trouve chez la narratrice parce que
  - ☐ ses parents l'ont flanquée à la porte.
  - ☐ elle s'est sauvée de chez elle spontanément.
  - ☐ elle s'est sauvée de la pension où elle avait été envoyée.
- Sophie est
  - ☐ sous la tutelle de ses parents.
  - ☐ sous la tutelle de la police belge.
  - ☐ sous la tutelle de la narratrice.
- Le père de Sophie ne parle pas français parce qu'il est
  - ☐ allemand.
  - ☐ arabe.
  - ☐ belge.
- Sophie rentre à Bruxelles
  - ☐ en avion.
  - ☐ en train.
  - ☐ en voiture.

- À son arrivée à Bruxelles, Sophie a été
  - ☐ réprimandée par la police.
  - ☐ réprimandée par son père.
  - ☐ fouillée par la police.
- Présentez le personnage de Sophie et dites de quelle façon son histoire s'insère dans la vie de la narratrice.
- Quels sentiments éprouve cette dernière vis-à-vis de la famille de Sophie ? À quelle classe sociale appartient cette famille ?

... les Dalton

- Comment s'appellent les garçons qui composent ce groupe ?
- Est-ce qu'ils font partie de la même famille ?
- Soulignez dans le texte toutes les parties où la narratrice décrit les Dalton. Au fur et à mesure que vous lisez le texte et que vous soulignez, remplissez cette grille avec tous les mots qui se réfèrent à ce groupe :

Adjectifs	Substantifs	Verbes

- Présentez ensuite ce groupe en soulignant pourquoi, selon la narratrice, la présence des Dalton chez elle est nuisible. Dites aussi ce qu'elle décide de faire pour empêcher ces jeunes d'influencer négativement ses enfants.
- « J'ai mis longtemps à comprendre que la débilité était une arme à double tranchant. » Justifiez cette affirmation.
- Que savez-vous dès le début de cette partie à propos de Jean-François ?
- Pourquoi est-ce que les autres l'admirent ?
- Résumez en une phrase le contenu de la discussion entre la narratrice et Jean-François.

Analysons le récit

- Trouvez un synonyme à chacune des expressions suivantes :

Expression	Synonyme
Se sauver	
Foutre le camp	
Chiottes	
En avoir marre	
Flanquer à la porte	
Nuisible	
En taule	
Dingue	

- Retrouvez les quatre subdivisions qui composent cette quatrième partie du roman et donnez-leur un titre.

Discutons ensemble

1. Qu'est-ce qui porte les jeunes à fuir de chez eux ?
2. Connaissez-vous des histoires semblables à celle de Sophie ? Si oui, racontez ce qui s'est passé.
3. M. Cardinal pose les questions suivantes :
   « Est-ce que tous les pays riches concernés par la drogue n'ont pas assez d'argent pour aider les pays producteurs d'opium à se constituer une autre agriculture ? [...] Où sont les intérêts là-dedans ? »
   Qu'en pensez-vous ?

Mots à retenir pour ...

... parler du chômage

Trouver du travail — Être au chômage
Rêver — Être attiré par
Milieu bourgeois, ouvrier — Déchéance
Crise économique

- Un jeune chômeur écrit à un journal pour parler de sa condition et pour critiquer l'attitude de certains adultes selon lesquels les jeunes n'ont pas envie de travailler. Rédigez la lettre qu'il écrit.

LES DALTON étaient des esthètes du vêtement. Je devrais plutôt écrire des fringues [1], des nippes, des haillons [2]. L'accoutrement [3] était le véritable passeport pour entrer dans leur univers. Il y a cheveux longs et cheveux longs, crasse [4] et crasse, jeans et jeans. En Angleterre, aux USA, vous pouvez sortir nu avec une plume de paon quelque part et un entonnoir [5] sur la tête, personne ne vous regardera ou, en tout cas, pas comme on regarde en France. En France l'aspect compte beaucoup. La tenue des contestataires de Mai 68 s'est étendue à toute la jeunesse ou presque. Pour les adultes elle représente toujours la contestation alors qu'elle n'a plus de sens politique. Elle est l'apanage des jeunes, c'est tout. C'est une jolie mode. Les gens du monde riches et élégants ne s'y sont pas trompés qui allaient acheter à prix d'or les beaux vêtements « fricky » de Jean Bouquin. Mais enfin, pour le Français moyen, cette tenue symbolise encore le désordre de Mai.

Jean-François revenait toujours avec des histoires de commissariat, de prises de bec [6] dans le métro ou ailleurs.

« Tu les cherches. Tu devrais être content de les trouver.

— C'est pas vrai, je les cherche pas.

— Tes cheveux, ton pantalon déchiré, ton collier, tu sais ce que ça signifie pour eux.

— Moi non plus j'aime pas leurs cravates, leurs nuques tondues, leurs sacs à main en crocodile, c'est pas pour ça que je les agresse.

— Tu sais très bien que tu as endossé l'uniforme de la

1. **Fringues** (f., fam.) : vêtements.
2. **Haillons** (m.) : vieux lambeaux d'étoffe servant de vêtements.
3. **Accoutrement** (m.) : habillement étrange.
4. **Crasse** (f.) : saleté.
5. **Entonnoir** (m.) : instrument qui sert à verser du liquide dans un récipient de petite ouverture.
6. **Prise de bec** (fam.) : altercation, dispute.

contestation comme les flics ont endossé celui de la police. À toi de prendre tes responsabilités. »

Bertrand est le troisième Dalton, il a dix-huit ans. Il est grand et fort, il a l'apparence d'un homme. Comme il est sale, débraillé [1] et qu'il se drogue plus que la normale, il a un aspect fatigué, las. On pourrait aussi bien lui donner vingt-deux ou vingt-trois ans. J'ai su d'abord qu'il était parti de chez lui parce que ses parents ne voulaient pas qu'il se consacre au dessin, trouvant probablement que cela ne le mènerait pas loin. Ensuite j'ai vu les dessins de Bertrand. Il me les a montrés un jour. Pas d'invention mais une sûreté dans le trait, un don réel pour recréer avec des lignes l'univers dans lequel il évolue. C'est évident qu'il aime et qu'il sait dessiner. Il m'a dit : « Moi, quand je dessine je peux rester toute une journée sans faire autre chose, ça me fait flipper. »

Alors je me suis mis dans la tête qu'il avait des parents un peu simplets [2] et trop âgés pour comprendre, pour trouver de la beauté ou de l'intérêt à ce que leur fils sortait de ses méninges.

Jusqu'au jour où on m'a parlé d'un travail qui conviendrait à Bertrand. Une équipe qui fait des films d'animation cherchait un dessinateur. J'ai téléphoné chez Jean-François où je savais que Bertrand habitait. J'ai appris que Bertrand avait réintégré le domicile de ses parents depuis une semaine mais que Jean-François le voyait chaque jour et lui ferait la commission.

Bertrand est arrivé à la maison quelques heures après, très exalté.

« Tu m'as trouvé du boulot ?

— Peut-être. Il faut que tu téléphones. »

Il téléphone, on lui donne un rendez-vous pour le lendemain. Bertrand transformé.

« Coupe-moi les cheveux.

— Je ne sais pas.

1. **Débraillé** : dont les vêtements sont en désordre.

2. **Simplet** : simple d'esprit.

— Tu coupes bien les cheveux de Grégoire.

— C'est pas pareil, il a les cheveux frisés. Je lui coupe les cheveux depuis qu'il est petit. Toi, tu as les cheveux raides. Pourquoi tu veux te couper les cheveux ?

— Ils vont me trouver trop fricky.

— Penses-tu. C'est tous des gars qui dessinent, ils sont jeunes.

— J'ai envie de me couper les cheveux. Ah ! si je pouvais travailler ça serait formidable. Je peux pas vivre avec mes parents. Ils sont trop débiles, ils me tuent. »

Il s'en va excité, énervé, heureux. Il revient une heure après les cheveux propres, bien coupés mi-longs, habillé comme un prince, rayonnant. On en reste tous bouche bée [1].

« Dis donc Bertrand où t'as trouvé ces sapes [2] ? T'es beau comme tout.

— J'me sens bien, j'me sens bien. Si tu m'as trouvé du travail c'est formidable. Mes parents ils sont gentils tu vois mais je peux pas vivre avec eux. »

Il se met à parler de sa famille. Ce qu'il n'avait jamais fait une seule fois depuis des mois et des mois que nous le connaissons.

Ses parents l'ont eu très jeunes quand ils avaient respectivement seize et dix-huit ans, c'est-à-dire qu'aujourd'hui ils ont trente-quatre et trente-six ans. Ça me donne le vertige d'imaginer ça. Il dit que sa mère est jolie et que son père est très bien physiquement. Il dit que son père est vachement respectable, bourgeois, friqué [3], très à cheval sur [4] les convenances. Ils ne l'ennuient pas vraiment mais ils veulent qu'il soit rentré tous les soirs à sept heures et demie, qu'il se lave tous les matins, qu'il devienne ingénieur ou architecte.

J'avais toujours vu Bertrand comme un homme et, à travers

1. **Bouche bée** : la bouche ouverte d'admiration, d'étonnement ou de stupeur.
2. **Sapes** (f., fam.) : habits.
3. **Friqué** (fam.) : riche.
4. **Être à cheval sur** : y tenir particulièrement.

son histoire, je le vois comme un petit garçon, un enfant. « Tiens-toi bien. Ne mets pas les coudes sur la table. Ne mets pas tes doigts dans le nez. » Comment des gens qui ont encore la jeunesse dans le sang peuvent-ils se comporter de cette manière avec leur propre fils ? Qu'est-ce qui se cache là-dessous ? Est-ce que l'adolescence, presque la maturité de leur fils les gêne ? Je les imagine à la table familiale, servis par la soubrette stylée, s'adresser à leur grand dadais [1] de garçon crasseux et drogué comme si c'était un gamin. Est-ce qu'ils font semblant de ne pas le voir ?

L'histoire de Bertrand fait pendant à celle de Sophie. Les enfants qui sont adultes trop tôt, les parents qui sont vieux trop tard. Il y a des jours où je ne sais plus que penser. Faudrait-il envisager sérieusement de faire l'éducation des parents ? Est-ce que je suis normale ? Est-ce que mes rapports avec mes enfants sont vraiment bons ? Je ne sais plus. Je ne me sens pourtant pas dépassée par les événements. J'ai simplement un sentiment aigu d'impuissance.

Pour en revenir à Bertrand. Le jour de son rendez-vous avec son employeur éventuel, il est là dès l'aurore, sur son trente et un [2]. Sans crasse, sans haillons, il est vraiment beau.

« Je trouve que tu n'es pas assez fricky.

— Tu trouves. Tu crois qu'ils vont pas me foutre à la porte si je mets mes bottes ? »

Il a des bottes incroyables faites de morceaux de cuir de toutes les couleurs.

« Elles sont marrantes tes bottes, je suis sûre qu'ils les trouveront marrantes.

— Alors je vais les mettre parce que ces pompes-là [3] me font un mal aux pieds terrible. Elles sont chez Jean-François. »

Il revient sans les bottes et avec un grand dossier sous le bras.

1. **Dadais** (m.) : garçon niais et de maintien gauche.
2. **Être sur son trente et un** : mettre ses plus beaux habits.
3. **Pompe** (f., fam.) : chaussure.

« Je les ai pas mises. Le premier jour j'aime mieux être super-débile tu vois. Après, je verrai. Regarde les dessins que je leur apporte, dis-moi si c'est pas trop débile. »

Heureusement que le mot « débile » existe, sinon je me demande comment il s'exprimerait.

Ses dessins sont très bons. Il les a bien choisis, on se rend compte parfaitement des différents sens où il peut travailler.

« Je trouve tout ça très bien.

— Tu es sûre ? Parce que tu sais si j'ai pas ce boulot j'me flingue [1].

— Flingue-toi. Ça fera un débile de moins. Moi je ne peux pas t'assurer qu'ils te feront travailler. Je n'en sais rien.

— Tu crois que j'ai des chances ?

— Je n'en sais rien. »

Il est énervé, il n'arrête pas de bouger [2]. Il faut que j'aille travailler, je sais qu'il va rester dans la maison vide à déambuler. Il n'écoutera même pas un disque. Il a peur de ne pas être accepté. Ce boulot dont il a tant envie consiste à collaborer à la fabrication d'un film publicitaire d'animation pour vendre un produit de consommation courante.

« Alors, il te tarde d'entrer [3] dans le système débile ? »

Il me regarde. Il est habitué à mes attaques de ce côté.

« Il est débile le système, c'est sûr. Tout est débile d'ailleurs. Alors tu sais... Si je peux gagner ma croûte [4] en dessinant et me tirer de chez mes vieux, c'est tout ce que je demande. »

Ses vieux qui n'ont pas quarante ans !

En sortant de son rendez-vous Bertrand est venu directement ici. Il n'a pas été retrouver les autres Dalton, il n'est pas allé chez ses parents.

« C'est des mecs vachement sympas tu sais. Très simples. Ils

1. **Se flinguer** (fam.) : se suicider avec une arme à feu.
2. **Bouger** : remuer, faire un mouvement.
3. **Il te tarde de** : tu est impatient de.
4. **Gagner sa croûte** : gagner sa vie.

m'ont donné du travail. Enfin, ils vont essayer de me faire travailler. Tu vois, comme je ne connais pas la technique du dessin animé, ils m'ont donné à trouver des couleurs pour un décor fixe. Ils m'ont expliqué comment il fallait travailler les encres [1], les craies [2]. Dans deux jours je vais leur montrer ce que j'ai fait. Je saurai pas.

— Pourquoi ?

— Parce que je l'ai jamais fait.

— Ils le savent que tu ne l'as jamais fait. S'ils te font confiance c'est qu'ils pensent que tu es capable de le faire.

— J'y arriverai [3] pas. »

Une fois de plus je me trouve nez à nez avec le manque de confiance en eux qu'ils ont presque tous. Ils ont le complexe de l'échec [4].

« Tu leur as montré tes dessins. Tu sais bien que tu as des bandes dessinées qui ont été prises dans des journaux.

— Petits journaux gauchistes [5] débiles.

— Enfin, Bertrand, je connais les gens qui travaillent pour gagner du fric. Je t'assure qu'ils vont pas perdre deux jours à donner du boulot [6] à un mec s'ils ne pensent pas qu'il est capable de le faire. C'est marrant comme vous avez tendance parfois à considérer cette société avide comme une succursale de la conférence de Saint-Vincent-de-Paul. Dans les affaires c'est le fric qui prime [7], les gens n'aiment pas en perdre.

— T'es marrante toi, comment ça se fait que [8] j'arrive à parler

1. **Encre** (f.) : liquide noir utilisé pour écrire.
2. **Craie** (f.) : calcaire qui sert pour écrire.
3. **Y arriver** : réussir.
4. **Échec** (m.) : insuccès.
5. **Gauchiste** : de gauche.
6. **Boulot** (m., fam.) : travail.
7. **Primer** : l'emporter, occuper la première place.
8. **Comment ça se fait que** (+ subj.) : pourquoi.

avec toi ? Moi les vieux ça me colle les jetons [1]. »

Charlotte se met à se moquer de moi, des efforts que je fais pour être jeune. Une fille du groupe qui m'adore prend ma défense, elle ne comprend pas la plaisanterie. Du coup tout le cynisme retombe sur elle et nous rions.

C'est vrai qu'ils ont un mal [2] fou à communiquer avec les adultes. Quand un de mes amis vient à la maison il ne se passe jamais rien. Ils n'ouvrent pas la bouche, ils mettent leur musique à tout berzingue [3] et s'étalent par terre comme des flans [4] mal cuits. À chaque fois c'est la même réflexion :

« Comment fais-tu pour les supporter, pour te laisser envahir à ce point ? Ils t'exploitent. »

Moi je sais que je passe des soirées passionnantes à parler avec eux et que je préfère ces moments à n'importe quoi. Mais ils se méfient des aînés et puis ils ne font pas les paons [5] et ils ne veulent pas convaincre qui que ce soit. Ils tâtonnent [6] dans tous les sens et ils n'aiment pas beaucoup qu'on les voie faire. Souvent je leur reproche ce climat de chapelle qu'ils créent, ces sectes dans lesquelles on ne peut entrer sans initiation.

Finalement Bertrand n'a pas eu le boulot. Je ne l'ai jamais revu. Il a rencontré les enfants et leur a dit : « Ça a foiré [7]. Ce que j'ai fait ne leur a pas plu. C'est des débiles. »

Il y a quelque temps j'ai dîné avec le jeune homme qui aurait dû être son employeur. J'avais oublié l'histoire de Bertrand.

« Comment se fait-il que nous n'ayons plus revu votre jeune protégé ? Nous l'avons attendu plusieurs jours. On a fini par donner le travail à un autre. »

1. **Ça me colle les jetons** (fam.) : ça me fait peur.
2. **Avoir du mal** : avoir des difficultés.
3. **À tout berzingue** (fam.) : ici, à tout volume.
4. **Flan** (m.) : dessert à base de lait et d'œufs.
5. **Faire le paon** : être vaniteux.
6. **Tâtonner** : hésiter.
7. **Foirer** (fam.) : rater, échouer.

Ce garçon a vingt-cinq ans. Je ne vois pas pourquoi il me raconterait des histoires. Je n'ai pas su que répondre.

Je crois que si Bertrand, doué comme il l'est, n'a pas fait ce boulot c'est qu'il n'a aucune confiance en lui, qu'il veut se détruire d'une manière ou d'une autre. Il relève de la médecine. Je ne crois pas du tout qu'il s'agisse là de paresse mais, plutôt, de mauvaises influences, de drogue, d'impuissance à s'exprimer, de vacuité, de déséquilibre psychique.

Quant à Dody, le quatrième Dalton, je ne l'ai jamais supporté et maintenant sa seule vue m'exaspère. Il est fourbe [1] et bête. Il n'a pas seize ans et ses parents lui ont donné le droit de faire ce qu'il veut depuis longtemps. Il est du Midi. Il vit au crochet des [2] uns et des autres. Il est capable de fabriquer des objets de cuir. À un moment j'ai pensé que cela le fixerait. Mais non. De nouveau il ne fait rien. Il voyage dans toute l'Europe sans un sou. Toujours propre, un petit balluchon [3] sous le bras, son auréole de cheveux crêpus sur la tête, son regard bovin dans un visage de rapace. Je ne le supporte pas. Il a une manière de ne rien faire qui me porte sur les nerfs. À l'époque où il travaillait le cuir, j'ai essayé de l'encourager en lui achetant des sacs, je le laissais travailler à la maison. Résultat il a abandonné. J'ai longtemps lutté contre mon antipathie spontanée à son égard. Maintenant je n'essaie plus de me raisonner. Je ne veux plus le voir du tout, c'est simple.

Un jour où je leur parlais de la nécessité de communiquer et par conséquent de s'exprimer, Dody m'a dit :

« Moi je trouve que les mots ça ne sert à rien. Avec mes yeux je dis tout ce que j'ai à faire comprendre.

— Ça ne peut marcher que pour des choses simples ou avec des gens qui te connaissent bien. Mais avec les autres ?

— Les autres je ne les regarde pas. »

1. **Fourbe** : faux, hypocrite.
2. **Vivre au crochet de** : vivre aux dépens de.
3. **Balluchon** (m.) : petit paquet fait avec de l'étoffe nouée aux quatre coins.

C'est vrai qu'il est silencieux et souriant et dans ses yeux, moi, je ne vois rien.

C'est juste après que j'ai flanqué les Dalton à la porte, que Jean-François s'est fait prendre entre la frontière hollandaise et la frontière belge avec trois cents grammes de hachisch sur lui.

Trois cents grammes c'était trop pour sa seule consommation personnelle. C'est donc qu'il voulait trafiquer. Il m'avait souvent dit : « Devenir dealer c'est mon idéal. » Je pense qu'il me narguait [1] en disant cela. Mais dans le fond, dans son cas, quelle autre solution ?

Sa capture ressemble fort à un suicide. Il était seul de son espèce, c'est-à-dire fricky, dans un train quasiment vide. Au lieu de cacher le « pot » [2] dans un coin du train il l'a gardé sur lui, dans une poche de son manteau, au moment de passer la frontière. Ils n'ont fouillé que lui.

Cela s'est su tout de suite. Les nouvelles arrivaient de partout. Tout le monde était au courant. La mère aux cent coups [3], Jean-François en taule à Maubeuge.

Toute une affaire.

« Eh bien, vous voilà avec un ancien combattant sur les bras. Jean-François vient de recevoir la Légion d'honneur de la drogue. Il va enfin avoir quelque chose de neuf à raconter. »

En disant ça je ne me sentais pas fière mais ça les a fait rire. Je ne peux pas tout faire.

Depuis j'ai aperçu Jean-François libéré de prison. Ils lui ont coupé les cheveux d'une drôle de façon. On dirait un zazou de 1947. Pour pouvoir sortir il paraît qu'il a fallu l'inscrire dans une école. Comme étudiant il avait le droit d'être libéré. Il sera jugé plus tard. On dit que sa mère en aura pour six ou sept mille francs, qu'elle est allée le voir plusieurs fois, qu'elle est décomposée [4].

1. **Narguer** : se moquer de.
2. **Pot** (fam.) : ici, drogue.
3. **Être aux cent coups** : être très inquiet.
4. **Décomposé** : troublé.

LES PIPELETTES [1] de la baraque, ce sont les sœurs Brugnoli. C'est par elles que je sais ce que deviennent les Dalton et la bande de Clamart. Elles sont bien avec tout le monde et papotent à longueur de journée. Elles savent tout ; les programmes de télévision et de cinéma, les heures et les lieux des meetings et des défilés, si Sarah est vierge, si Yves est puceau [2], les situations des parents, etc., etc. Elles ont un goût prononcé pour les catastrophes, les drames. Elles s'en délectent ouvertement. Leurs yeux brillent, leurs lèvres rougissent, elles cambrent [3] les reins, accélèrent leurs mouvements, sont partout à la fois. Si une nouvelle d'importance leur parvient elles se débrouillent pour emprunter des Solex [4], des « meules » comme elles disent, et les voilà parties, deux jolies sorcières, de lycée en piaule [5], de villa en taudis [6], répandant le sirop. C'est par elles que j'ai su l'histoire de la capture de Jean-François probablement cinq minutes après la propre mère du garçon. C'est par elles que je sais tout. Mais comme elles en rajoutent il faut faire attention.

Cécile, la plus jeune, va avoir dix-sept ans. C'est une longue et mince fille aux seins et aux fesses charnus. Elle est féminine jusqu'au bout des doigts. Elle a des yeux marron si clairs qu'ils sont dorés, une bouche pleine qui fait des moues [7], des cheveux noirs courts et bouclés. Elle minaude [8], elle a des petits rires de coulisses [9] qu'elle cache derrière les doigts ouverts de sa main. Elle se trémousse [10], elle ondule. Elle a des « bonjour » et des

1. **Pipelette** (f., fam.) : personne qui parle beaucoup.
2. **Puceau** (m.) : garçon, homme vierge.
3. **Cambrer** : courber en arrière.
4. **Solex** (m.) : type de cyclomoteur d'une marque connue.
5. **Piaule** (f., fam.) : chambre, logement.
6. **Taudis** (m.) : logement misérable.
7. **Moue** (f.) : grimace que l'on fait en avançant et en resserrant les lèvres.
8. **Minauder** : prendre des manières affectées pour attirer l'attention.
9. **De coulisses** : caché.
10. **Se trémousser** : s'agiter avec de petits mouvements.

« bonsoir » qui fusent comme des caresses. Elle reste toujours en contact :

« Allô, je t'appelle pour te faire une bise au téléphone. Ça va ? » Elle a un air enfantin irrésistible. Grégoire en perd la tête. Elle est désarmante de sincérité, de naïveté, de charme.

Son père et sa mère sont Italiens. Ils sont partis de leur pays pour des raisons que je connais mal. Une de ces raisons est que le père est d'une bonne famille, petite aristocratie, traditionnellement conservatrice, et que la mère est d'un milieu très différent. Je pense qu'ils sont partis pour que leurs familles les laissent tranquilles.

Ils ont eu quatre enfants, trois filles et un garçon, dont Cécile est la plus jeune. Il y a huit ans la mère les a tous abandonnés. Cécile avait donc neuf ans. Avant cet abandon la mère s'était servie de Cécile comme moyen de chantage et je pense aussi qu'elle aurait voulu garder la plus petite avec elle. Elle l'emmenait donc et elles vivaient toutes les deux dans des hôtels minables [1], n'importe où, jusqu'à ce que le père les retrouve. La mère buvait. Cécile assure qu'elle n'a gardé aucun mauvais souvenir de cette période de sa vie. Elle aime sa mère. Elle m'a dit l'autre jour avec un air vraiment heureux : « Je suis sûre que je vais revoir ma mère bientôt parce qu'elle m'a envoyé une carte postale pour mon anniversaire. Elle est en Suisse. » Depuis huit ans c'était la première fois qu'elle se manifestait.

Anne, sa sœur, va avoir vingt ans. Elle est de taille moyenne. Les cheveux longs, noirs, un nez droit et des yeux bleus, clairs, entourés de cils noirs très fournis [2]. Je la trouve belle. Elle n'est pas du tout du style minette [3]. Plutôt style garçon manqué avec des blousons trop grands, des pantalons effrangés, de grands mouvements, la parole rapide et un peu brutale. À vingt ans, elle n'a jamais flirté, jamais eu la moindre histoire avec un garçon.

1. **Minable** : misérable.
2. **Fourni** : épais.
3. **Minette** (f., fam.) : jeune fille à la mode.

Cela pas du tout pour des raisons de morale chrétienne, pas par un respect méditerranéen de la virginité. Encore que son père ait une grande influence sur elle mais une influence faite de tendresse, d'affection vraie. Anne en est parfaitement consciente et n'en tiendrait pas compte si elle voulait sauter le pas et avoir une aventure avec un garçon. Elle sait qu'elle est complexée. L'autre jour elle a dit : « Toute mon enfance, jusqu'au départ de ma mère, j'ai entendu mes parents se disputer. »

Les deux sœurs sont extrêmement gaies et vivantes. Elles parlent sans contrainte. Elles sont même très drôles quand elles racontent leurs problèmes sentimentaux ou les ennuis d'argent de leur père.

Il faut dire que le pauvre homme a la tête en l'air. Après le départ de sa femme j'ai l'impression que, matériellement, tout est parti à vau-l'eau [1]. Il a laissé ses filles s'occuper de la maison. Personne pour tenir les cordons de la bourse. Des gosses [2] qui avaient des besoins de gosses. Il ne savait pas leur résister, il leur offrait tout ce qu'ils voulaient y compris des vacances de rêve, des vêtements, des Solex. Il ne payait pas ses impôts, ne réglait pas les factures. Aujourd'hui c'est la misère noire. Le Trésor a fait une saisie arrêt [3] sur ses traitements [4], ses débiteurs se manifestent. La semaine dernière on a placardé [5] sur la porte de leur immeuble un papier sur lequel il était inscrit qu'on viendrait enlever leurs meubles aujourd'hui.

Les filles sont arrivées à la maison en riant comme des folles. Qu'on saisisse les meubles de papa les ravissait. Ce qui leur plaisait le plus c'est que, lors de l'inventaire des huissiers [6], ils avaient marqué sur la liste « une guitare électrique ». Or cette

1. **Partir à vau-l'eau** : s'en aller, se perdre.
2. **Gosse** (m., fam.) : enfant.
3. **Saisie arrêt** : saisie des biens d'un débiteur.
4. **Traitement** (m.) : rémunération.
5. **Placarder** : afficher.
6. **Huissier** (m.) : officier ministériel.

guitare appartient à Jean-François Blais, il l'avait laissée là un jour.

« Pourquoi n'avez-vous pas dit qu'elle ne vous appartenait pas ?

— On savait pas.

— Maintenant ils vont vous la réclamer.

— Si on l'a pas ils peuvent pas la prendre.

— Non, mais ils déduiront son prix de l'ensemble. Ça fera toujours ça en moins pour ton père. »

Petite objection vite effacée :

« On s'en fiche de [1] ces meubles. Papa y tient on ne sait pas pourquoi. Il est gentil mais il est vraiment débile à certains moments.

« Ils nous laissent un lit à chacun, une chaise à chacun et une table. Ça suffit.

« Le plus bête c'est qu'une grande partie de ses dettes [2] vient des meubles de cuisine. Comme le mari de Lucie a du fric et que ses parents sont vachement bourgeois, papa a voulu les recevoir à dîner à la maison. Il trouvait que la cuisine était trop minable alors il l'a fait aménager. Super-installation. Il n'a jamais payé. Et voilà. À force de traîner et de traîner. Maintenant on lui réclame près du double du prix d'achat. Nous on s'en fout des meubles de cuisine. »

Anne et Cécile travaillent, l'une fait des écritures, l'autre garde des enfants. Elles gagnent respectivement mille et quatre cents francs par mois. Elles remettent intégralement leur paie à leur père. Chaque mois elles doivent lui présenter une bande hygiénique salie.

IL Y A une troupe de filles qui sont, depuis des années, des habituées de la maison. La plus importante est Sarah. Elle est belle. D'une beauté qui n'est pas à la mode. Elle est trop potelée [3] pour le goût du jour. Sarah n'est pas son vrai nom. Elle

1. **Se ficher de** (fam.) : se moquer de.
2. **Dette** (f.) : ce qu'une personne doit à une autre.
3. **Potelé** : grassouillet.

s'appelle Louisette. Un jour elle a dit :

« C'que j'aimerais m'appeler Sarah.

— Eh bien tu t'appelles Sarah. À partir d'aujourd'hui nous t'appellerons Sarah. »

Et cela s'est fait tout naturellement car ce nom lui va comme un gant. Elle a quinze ans, elle est israélite. Elle a des cheveux qui lui tombent sur les reins, d'un noir parfait, épais et brillants comme des écheveaux [1] de soie. Sous sa peau très brune elle a les ombres rose vif de la bonne santé et de l'enfance.

J'ai pour Sarah une tendresse particulière.

D'abord elle n'est pas malheureuse. Elle assume [2] ses problèmes. Elle est une excellente élève. Elle a une passion pour la peinture.

Quand elle arrive à la maison elle va directement dans la chambre de Charlotte où elle se change. Elle en ressort vêtue d'une des robes que Dorothée a ramenées de Beyrouth, avec des colliers, des foulards. Elle tord [3] ses cheveux. Elle est bien dans sa peau. Elle ne fait pas cela pour parader [4]. D'ailleurs elle ne se montre pas de façon ostentatoire. Une fois habillée à son goût elle lit, elle bavarde. Des histoires de petite lycéenne. Elle fait les devoirs de tout le monde, aussi bien les maths que le russe. Surtout elle peint. Elle aime les couleurs. Elle me montre ses tableaux, certains sont très intéressants.

À l'époque du renvoi des Dalton j'étais très énervée.

« J'en ai marre de tous ces gens qui ne viennent ici que pour manger. Si la porte est ouverte c'est parce que je pense que vous avez besoin d'un coin à vous pour vous exprimer. Mais vous ne foutez rien, vous êtes comme des larves. Il ne sort rien de votre groupe. »

Sarah était mal à son aise. Elle me regardait intensément

1. **Écheveau** (m.) : assemblage de fils.
2. **Assumer** : supporter, accepter.
3. **Tordre** : ici, enrouler les cheveux sur eux-mêmes.
4. **Parader** : se montrer, se pavaner.

pendant que je parlais.

« Tu ne sais pas comment nous vivons dans nos familles. Nous étouffons. Moi, tu vois, j'aime beaucoup mes parents mais je ne parle jamais avec eux, je ne me conduis jamais avec eux comme j'ai envie de me conduire. Ici je suis libre. Le seul fait d'être ici, même sans rien faire, m'apporte énormément. »

Elle m'a remonté le moral [1]. Du coup j'ose lui poser des questions.

« Pourquoi tu t'ennuies chez toi ?

— Parce que je ne suis pas moi-même. Mes parents tu vois ils ont décidé de mon avenir. Je veux peindre. Il n'en est pas question. Ils m'ont forcée à faire la section C [2] parce que c'est celle qui prépare aux carrières qui leur plaisent. Ma mère me parle comme à une petite fille. Elle ne sait pas qui je suis. Je t'assure qu'elle n'en a pas la moindre idée. Comme ils sont gentils et que je ne peux pas arriver à leur faire comprendre, je fais ce qu'ils veulent en attendant de pouvoir faire ce que je veux. »

Sarah est très sage. Nous ne parlons guère toutes les deux. Sa présence me soulage. Sans en avoir l'air elle prend des responsabilités. Par exemple à l'égard des études de Charlotte. Elle a un an d'avance sur elle. Souvent j'entends Sarah qui explique à Charlotte qu'elle a découvert l'année dernière tel ou tel point, dans un programme apparemment fastidieux, qui lui avait amené quelque chose. Charlotte l'écoute. Elle veut bien croire.

1. **Remonter le moral** : redonner de la force, de l'énergie.
2. **Section C** : section scientifique du lycée.

Découvrons ensemble ...

... comment les jeunes considèrent les vêtements

- Comment les Dalton considèrent-ils l'habillement ?
- Que dit la narratrice à propos de la façon dont les Anglais et les Américains considèrent l'aspect extérieur ? Quelle différence d'attitude relève-t-elle en parlant de la France ?

... l'histoire de Bertrand

- Pour quel motif Bertrand est-il parti de chez lui ?
- Que fait la narratrice pour l'aider à trouver du travail ?
- De quelle façon Bertrand est-il concerné par le problème de l'habillement ?
- Quel est l'état d'âme de Bertrand ?
- Que fait la narratrice pour l'encourager ?
- Que découvre-t-elle quelque temps après, en parlant avec l'homme qui aurait dû être l'employeur de Bertrand ?
- « L'histoire de Bertrand fait pendant à celle de Sophie. » Justifiez cette affirmation.

... quelques personnages de passage : Dody, les sœurs Brugnoli et Sarah

- Cherchez dans le texte les adjectifs qui se réfèrent à chacun des personnages cités et remplissez cette grille :

Dody	Les sœurs Brugnoli Cécile	 Anne	Sarah

- Décrivez ensuite chacun de ces personnages d'après ce que vous avez appris sur :
  - leur aspect physique ;
  - leur caractère ;
  - leur comportement chez la narratrice ;
  - ce qu'ils font dans la vie ;
  - ce que la narratrice pense d'eux.
- « Souvent je leur reproche ce climat de chapelle qu'ils créent, ces sectes dans lesquelles on ne peut entrer sans initiation. » Expliquez cette affirmation de la narratrice en considérant son rapport avec les jeunes qui fréquentent sa maison.

Analysons le récit

- Écrivez à côté de chacune des phrases suivantes ce qu'elle signifie dans le contexte où elle se trouve :

  On en reste tous bouche bée ....

  Dis donc Bertrand où t'as trouvé ces sapes ? ....
  ....

  C'est des mecs vachement sympas tu sais ....
  ....

  Je n'y arriverai pas ....

  T'es marrante toi, comment ça se fait que j'arrive à parler avec toi ? ....

  C'est vrai qu'ils ont un mal fou à communiquer avec les adultes ....

  Cela s'est su tout de suite ....

- Retrouvez les cinq subdivisions qui composent cette cinquième partie du roman et donnez-leur un titre.

Discutons ensemble

1. De nos jours, est-ce que, à votre avis, « l'habit fait le moine » ?
2. Que pensez-vous de ceux qui jugent les gens sur leur apparence extérieure ?
3. Connaissez-vous des jeunes qui ont eu le même problème que Bertrand ? Si oui, racontez ce qui s'est passé.
4. Que pensez-vous de la nécessité qu'ont les jeunes de communiquer avec les adultes ?

5. Est-ce que, dans votre famille, à l'école ou dans la vie de tous les jours, il vous est déjà arrivé de rencontrer quelqu'un ayant les mêmes idées que Dody ? Comment avez-vous réagi ?
6. « Moi je trouve que les mots ça ne sert à rien. Avec mes yeux je dis tout ce que j'ai à faire comprendre. » Dites ce que vous auriez répondu à cette affirmation de Dody si vous aviez été à la place de la narratrice.

Mots à retenir pour ...

... parler de la difficulté dans la communication entre les jeunes et les adultes

Essayer de — Comprendre
Malaise — Goûts — Éprouver
Sentiment — Liberté
Nécessaire — À l'égard de
Attitude — Considération — Compter
Considérer — Avoir du mal à
Se méfier de — Indifférence

- Vous êtes l'un des jeunes qui fréquentent la maison de la narratrice. Rédigez un dialogue où vous parlez avec cette dernière de vos problèmes de communication.

À FORCE d'essayer de comprendre leurs malaises, leurs goûts, je me définis mieux moi-même et j'éprouve un grand sentiment de liberté.

J'en viens à me considérer telle que j'étais il y a dix ans — ne parlons pas d'il y a vingt ans — comme un animal de zoo.

Je n'ai pas honte de ce que j'étais. Je pense même que c'était un moment nécessaire de mon évolution. Cela me paraît si loin, l'époque où j'étais d'une humeur de chien [1] pendant toute une journée parce que l'argenterie n'avait pas été faite, l'époque où je planais [2] à la suite d'un dîner réussi. L'époque où d'un coup d'œil, en m'asseyant à une table étrangère, je savais si les couverts venaient de chez Puyforcat et, s'ils en venaient, j'avais à l'égard de leurs possesseurs une attitude aimable, une considération naissante.

Je faisais partie de la gauche festive. De ceux qui pleurent sur le sort du tiers monde et des ouvriers en buvant un whisky carte noire... parce que l'autre, vraiment, est imbuvable. Je voyais mes enfants polytechniciens ou chirurgiens ou, à la rigueur, acteurs de génie, tout en prétendant que cela ne me dérangerait pas de les voir chauffeur de taxi ou plombier [3]...

La perte totale de toutes mes possessions matérielles a été le premier tremplin de ma libération. Après deux années de vertige j'ai commencé à prendre pied dans une vie laborieuse où j'ai travaillé pour bouffer. Je n'en suis pas morte, au contraire. J'ai découvert que j'étais capable de faire des choses extraordinaires comme la lessive [4] ou cirer les planchers. Je suis devenue agressive vis-à-vis de la gauche festive. Mais ma position n'était pas claire. Un peu douteuse même. Jalousie ? envie ? manque peut-être ? Pas claire. J'étais trop occupée à savoir ce qui se passait dans ce milieu pour en être aussi éloignée que je le disais.

1. **Être d'une humeur de chien** : être de mauvaise humeur.
2. **Planer** (fam.) : être satisfait.
3. **Plombier** (m.) : ouvrier qui fait des travaux de plomberie.
4. **Faire la lessive** : laver le linge.

Et puis les enfants ont précipité le mouvement. J'ai opté pour une vie qui n'est pas bourgeoise, qui n'a d'ailleurs aucune orthodoxie [1]. Au début je ne savais que ce que je ne voulais pas : pas de religion, pas d'égoïsme, pas de possession. Tout en étant bien consciente que c'était une position négative par rapport à l'éducation que j'avais reçue. Est-ce que j'allais me mettre à élaborer une autre religion, un autre égoïsme, d'autres possessions ? Je voulais être moi-même, bien dans ma peau [2] et non pas être contre ma mère, ma classe, etc. J'avais remarqué combien, au cours de leur petite enfance, les enfants sont sensibles aux fluctuations d'humeurs de leurs parents et particulièrement de leur mère. Quand j'allais bien tout allait bien sinon tout allait mal. Il fallait que je sois le plus heureuse possible, le plus possible en accord avec moi-même, pour qu'ils soient heureux, libres et confiants.

Décortiquer tous les principes, tous les préjugés, depuis : « Il est interdit de juger ses parents. » J'ai remarqué que les seuls rapports que j'avais eus avec ma mère dans mon enfance étaient passés par le canal rigoureux des interdictions respectées ou pas.

Il n'y avait, entre ma mère et moi, que les mots d'ordre de la vie de tous les jours que j'essayais d'appliquer le mieux possible parce que je l'aimais :

Ne sors jamais sans tes gants.

On ne se retourne pas dans la rue.

On ne croise pas les jambes.

Tiens, voilà de la monnaie pour les pauvres.

On ne dit pas le prix des choses.

Finis ce que tu as dans ton assiette. Songe qu'il y a des gens qui n'ont rien à manger.

On ne juge pas ses parents.

On doit être poli avec les domestiques.

J'exige que tu aies de bonnes notes. Tu m'en seras

1. **Orthodoxie** (f.) : ensemble de principes.
2. **Être bien dans sa peau** : se sentir bien à l'aise.

reconnaissante plus tard. Le bagage des examens est encore le meilleur capital que l'on possède.

As-tu dit tes prières en te couchant ?

On se brosse les mains avant chaque repas et les dents après.

On ne parle pas à table.

On dit « oui maman », « non maman », « oui monsieur », « non monsieur », les gens ne sont pas des chiens.

On n'adresse pas la parole aux étrangers, pas plus qu'on ne leur répond s'ils vous adressent la parole.

On est économe. L'argent ne fleurit pas et ta famille l'a parfois gagné durement.

Depuis combien de temps ne t'es-tu pas confessée ?

Remets-tu ton âme à Dieu chaque matin avant de commencer ta journée ?

Ne te regarde pas dans la glace. Ce n'est pas la beauté extérieure qui compte.

Que tu prennes ou pas tes repas à ma table, tu ne dois jamais appuyer ton dos au dossier de ta chaise, cela fait avachi [1].

Il faut avoir de la tenue [2].

Les professeurs ont toujours raison. On ne juge pas ses parents.

De mon temps on ne sortait jamais ni en cheveux ni en taille. Ce n'est pas une raison parce que c'est admis aujourd'hui pour te conduire comme une dévergondée [3].

L'argent ne se touche pas. C'est extrêmement sale, n'importe qui le tripote [4]. Cela se met dans une banque quand on est grand et dans une tirelire [5] quand on est petit.

Et ainsi de suite, pour chaque moment de la journée, pour chaque geste, les menues règles qui feraient de moi une petite

1. **Avachi** : déformé.
2. **Tenue** (f.) : dignité de la conduite, correction de manières.
3. **Dévergondé** : qui est sans pudeur.
4. **Tripoter** : manier.
5. **Tirelire** : récipient où l'on introduit des pièces de monnaie.

fille bien élevée et heureuse. « C'est pour ton bien. Je te le répéterai jusqu'à ce que ça te soit entré dans la tête une fois pour toutes. »

Et c'est vrai que, spontanément, je faisais la révérence aux visites qui entraient et qui sortaient, aux amis de ma mère rencontrés dans la rue. C'est vrai que je n'éprouvais aucune difficulté à décortiquer [1] les crevettes [2] avec mes couverts à poisson, que je pelais mon orange en la maintenant avec une fourchette, que je n'écrasais pas mes légumes dans la sauce, que je présentais un couteau le manche en avant, que je ne m'asseyais pas à table avant qu'on m'y autorise, que je ne sortais de table que si on m'en donnait la permission, que je ne disais pas un mot si on ne m'adressait pas la parole. C'est vrai que de faire tous ces trucs me facilitait la vie. C'était de petits points de repère [3] qui me permettaient de reconnaître mes semblables et d'adapter mon comportement. Je me sentais initiée et j'en étais fière.

Après avoir bien réfléchi à tout ce lavage de cerveau intensif, cruel et profond, et après avoir analysé la nécessité de chaque règle, il restait bien peu à garder de mon éducation : manger proprement et être courtois.

Pour terminer ma mutation il y a eu le spectaculaire incendie de Montréal qui a réglé définitivement les comptes anciens que je tenais avec moi-même.

Le feu, ainsi que le veut la tradition, a tout purifié. Classique.

L'été nous allons rejoindre Jean-Pierre qui est metteur en scène à Montréal. C'est un homme simple qui n'a jamais ni chaud ni froid, qui n'aime pas les mondanités, qui se fiche éperdument de manger dans de la vaisselle en vermeil [4] ou dans de vieilles boîtes de sardines. C'est un solitaire. Il aime la méditation, il

1. **Décortiquer** : enlever la carapace d'un crustacé.
2. **Crevette** (f.) : type de crustacé.
3. **Point de repère** : qui sert à retrouver un endroit.
4. **Vermeil** (m.) : matériau précieux.

déteste son agrégation [1] de lettres. Nous sommes issus du [2] même milieu. Nous nous sommes mariés jeunes. Nous avons été heureux d'avoir nos trois enfants. Nous avons bourlingué [3] dans le monde d'un poste à l'autre. Le travail à Montréal lui a plu mais il n'était pas question que nos enfants entrent un jour dans une école religieuse. À l'époque, au Québec, il n'y avait que cette possibilité. Ainsi s'est établie une vie familiale inhabituelle mais riche et importante. L'année scolaire en France, les vacances au Canada.

Ce qu'est la vie entre Jean-Pierre et moi ferait l'objet d'une pile d'autres cahiers. Dans celui-là, il est question de ma vie quotidienne avec nos enfants. C'est en dehors de la vie de tous les jours qu'est ma vie avec Jean-Pierre.

Donc l'été 70, nous voilà débarquant à New York car il y a peu de charters pratiques allant à Montréal. Nous avons pris l'habitude de ces rendez-vous annuels dans la grande ville américaine. Chaque année nous constatons les progrès de la pollution, de la saleté, de la violence dans la capitale du capitalisme. Jean-Pierre aime cette ville où il va souvent en week-end. Il connaît bien le Village et le théâtre underground off-Off-Broadway. Après chaque séjour il m'envoie des lettres délirantes. Je me souviens de celle qui a suivi, il y a quelques années, la découverte du Bread and Pupett ! Il est fasciné aussi par l'exploitation du sexe. Il m'a longuement décrit cette boîte triangulaire percée de guichets [4] à hauteur de visage d'homme. Pour 50 cents on ouvre le guichet pendant quelques instants. À l'intérieur du triangle une femme nue est assise en tailleur sur une scène tournant lentement. Elle est moche [5], triste et s'ennuie. Le temps de la voir faire un tour, de contempler quelques

1. **Agrégation** (f.) : titre qui donne accès à l'enseignement.
2. **Être issu de** : provenir de.
3. **Bourlinguer** (fam.) : voyager.
4. **Guichet** (m.) : petite ouverture pratiquée dans une porte, un mur, etc.
5. **Moche** (fam.) : laide.

secondes son sexe écarquillé par la position puis le guichet se ferme. Si on veut voir encore il faut remettre 50 cents. Et comme ça plein d'autres histoires où se mêlent le génie de la nouvelle création américaine contestataire et les misères salaces [1] nées du puritanisme outrancier [2]. Pour moi j'enrage, à chaque fois que je traverse la pourriture de Harlem, de ne jamais croiser un regard. Jean-Pierre s'amuse :

« C'est ton côté missionnaire laïque. »

Je le laisse dire parce qu'il n'a pas tout à fait tort.

Le trajet entre New York et Montréal fait en Greyhound [3] ou dans une voiture que Jean-Pierre loue pour l'été, est rapide et agréable. Le Vermont que nous traversons chaque fois est très beau.

Cette année-là, je trouve Jean-Pierre changé, différent, nous regardant un peu de l'extérieur. Surtout il parle beaucoup de son appartement qu'il vient de trouver dans le vieux Montréal.

« Le rêve de ma vie. Une seule grande pièce qui me sert aussi d'atelier, de salle de répétition. Tu verras, c'est formidable. »

En effet, je vois très vite cet endroit. Une grande pièce c'est vrai, trente mètres sur vingt mètres, dans une des premières bâtisses [4] construites par les pionniers, tout près du fleuve qu'on ne voit plus, mais les odeurs du port parviennent encore jusque-là. L'appartement est au troisième étage, le reste de la maison est occupé par un restaurant et ses dépendances, puis des entrepôts [5].

Outre la magnifique pièce principale il y a une cuisine, une entrée et une salle de bain. Comme la maison est à l'angle de deux rues il y a sur deux côtés des fenêtres à petits carreaux [6], arrondies en haut, une quinzaine à peu près et, au centre de la

1. **Salace** : lascif, lubrique.
2. **Puritanisme outrancier** : puritanisme poussé à l'excès.
3. **Greyhound** : compagnie de bus circulant en Amérique du Nord.
4. **Bâtisse** (f.) : bâtiment.
5. **Entrepôt** (m.) : dépôt pour les marchandises.
6. **Carreau** (m.) : plaque de verre.

pièce, servant de charpente [1], une rangée de colonnes de bois, presque des troncs bruts [2], à peine ouvragés vers le haut en forme de chapiteaux rustiques. Les murs qui ne donnent pas sur les rues sont faits de vieilles briques patinées, dans les tons de vieux rose. Cette fameuse salle de travail, et de répétition est pleine de tapis mœlleux, de coussins multicolores, de hamacs entrecroisés. Dans un coin entre les colonnes et le mur du fond, des rideaux s'ouvrent ou se ferment autour d'un grand lit au-dessus duquel trône un poster où un couple fait l'amour dans le brouillard et la dentelle [3], avec encadrement psychédélique. Il y a là tout ce qui fait un cadre à la mode des intellectuels « libres » : paravent auquel sont accrochés des colliers de coquillages, de pierres, de métaux orientaux, lanternes chinoises comme de grosses bulles qui pendent très bas, papier d'Arménie [4], bâtonnets d'encens, foulards indiens pendant négligemment de-ci de-là. Plusieurs téléphones blancs dans les endroits les plus pratiques de la maison. À côté de chacun un carnet sur lequel est écrit « téléphone ». Cuisine rustique à l'américaine. Salle de bain petite mais avec baignoire-piscine. Kleenex abricot ou rouille [5] avec papier cul assorti.

Je dois faire une telle tête que Jean-Pierre se croit obligé de souligner :

« C'est beau, n'est-ce pas ?

— Ça, pour être beau, c'est beau.

— Tu as l'air d'être un peu jalouse.

— Non, pas du tout. Je suis suffoquée. »

Les enfants sont ravis. Ils cherchent le meilleur endroit où ils

1. **Charpente** (f.) : ensemble de pièces qui constituent l'ossature d'une construction.
2. **Brut** : qui est à l'état naturel.
3. **Dentelle** (f.) : tissu très ajouré.
4. **Papier d'Arménie** : feuilles de papier qui en brûlant répandent un parfum agréable.
5. **Rouille** : d'un rouge-brun.

installeront leurs sacs de couchage [1]. Moi je suis prise par les tourments du changement d'horaire. J'ai sommeil sans arrêt. Je regarde sans rien comprendre. Je somnole. Vers sept heures du soir, des amis commencent à arriver. Comme chaque soir, paraît-il. Il en vient beaucoup, trente ou quarante peut-être. Tous bâtis sur le même modèle. Moyenne d'âge : trente ans, tenue : le hippisme de luxe. Il y a beaucoup de vin entreposé dans la cuisine, des gallons [2] les uns à côté des autres. Je ne connais personne. Parfois Jean-Pierre me présente un homme ou une femme qui se penche vers moi et m'embrasse sur la bouche, comme s'il communiait.

Les enfants terrassés [3] par le nouvel horaire, la fatigue du voyage et l'excitation s'endorment en grappe dans le coin le plus reculé.

Les « amis » mettent des disques, il y en a un très grand nombre, puis ils s'emparent de bongos, de tablas, de petites cymbales qui traînent un peu partout et cherchent un rythme pour accompagner celui du disque. Ils boivent beaucoup et se passent des joints sur lesquels ils tirent une bouffée qu'ils aspirent profondément en fermant les yeux.

Cela va durer jusqu'à six heures du matin. Ces gens-là sont tristes à mourir. Ils tapent sans arrêt le même rythme sans jamais rien trouver, sans ajouter une note, sans la moindre trouvaille [4]. Seuls l'alcool et la drogue peuvent leur faire supporter si longtemps cette médiocrité. Il y a des muses qui se succèdent au centre de l'orchestre improvisé. Elles battent le rythme et font avec leur corps des mouvements provocants. En voyant faire la première j'ai pensé que cela allait changer la monotonie de l'affaire, que cela allait tourner à l'orgie, que tout le monde allait faire l'amour. Tout le monde regarde avec une indifférence vraie ou fausse ces jolis seins nus sous les transparences, ces fesses qui

1. **Sac de couchage** (m.) : sac dans lequel on dort.
2. **Gallon** (m.) : mesure de capacité.
3. **Terrassé** : très fatigué.
4. **Trouvaille** (f.) : invention.

tressautent, ces reins qui se cambrent [1], ces longs bras nus qui martèlent les bongos bien serrés entre les cuisses. Personne ne touche l'égérie [2] au sourire extatique, au regard bouleversé, qui s'offre à « l'art ».

À la longue ça fait scout. Ça fait messe pour scouts progressistes. À la place des hosties, il y a de la marie-jeanne [3]. Tout ce qui m'ennuie.

Qu'est-ce que Jean-Pierre vient foutre dans cette galère ? Et en plus c'est sa galère.

Incroyable. Quand je pense au jour où je l'ai habillé des pieds à la tête parce qu'il devait aller me demander officiellement en mariage à ma mère ! J'avais honte de moi, honte d'entrer dans cette combine [4]. Les regards qu'il jetait sur le pantalon de flanelle, la veste en tweed, les chaussures anglaises !

« Mais je n'en ai pas besoin.

— Tu ne peux pas aller en blue-jean et en sandales. Elle ne comprendrait pas.

— Cet uniforme est complètement ridicule.

— Tu es très beau. »

Il était très beau. Il est très beau. Il sera très beau. Même ce soir-là avec sa djellaba [5] blanche et ses agissements de grand prêtre.

Dès que j'ai eu assez dormi pour reprendre mes esprits, j'ai dit ce que je pensais de cette mascarade. Ça n'a pas traîné.

« Depuis dix-sept ans que nous sommes mariés tu m'as appris l'inutilité du confort bourgeois, la crainte qu'il fallait avoir de l'installation, la vanité des formes dites « esthétiques », la répugnance du snobisme, l'imbécillité des moutons de Panurge [6].

1. **Se cambrer** : se courber en arrière.
2. **Égérie** (f.) : inspiratrice d'un artiste.
3. **Marie-jeanne** (f.) : type de drogue.
4. **Combine** (f.) : moyen astucieux employé pour parvenir à ses fins.
5. **Djellaba** (f.) : longue robe portée par les hommes et les femmes en Afrique du Nord.
6. **Mouton de Panurge** : personne qui imite stupidement les autres.

J'ai mis longtemps à bouger de ma place, à te suivre. Maintenant je suis en marche. Je trouve que tu avais raison, profondément raison. Je me suis mise à changer, non pas pour te suivre mais parce que, en y réfléchissant, c'est ça le bon chemin pour moi aussi.

« Que tu aies bifurqué [1] c'est ton affaire. Je ne te juge pas. Je ne te dis pas c'est bien ou c'est mal. Cela ne me regarde pas.

« Bien sûr c'est dommage que nous nous perdions de vue, c'est stupide que je te rencontre enfin, juste au moment où tu changes de route. Je ne peux rien y faire. Je connais ce chemin où tu t'engages pour l'avoir parcouru mille fois à Paris. Il me déplaît, il me dégoûte, il ne mène nulle part.

— Tu ne sais pas t'amuser. Tu n'as pas le sens de la fête.

— Peut-être que j'ai appelé ce genre de vie la fête la première fois que je l'ai vécu. À la deuxième fois j'ai appelé cela un enterrement [2] de première classe. Maintenant je trouve ça de la connerie [3] et un scandale. »

Ce soir je m'installe dehors, sur l'échelle d'incendie qui fait un large balcon devant deux des fenêtres du fond. Jean-Pierre a installé là un barbecue de fortune. Aujourd'hui il a plu. J'aime la pluie d'été. Vues de haut les grosses voitures américaines qui avancent lentement sur le bitume ressemblent à des blattes [4] partant à l'assaut d'une ordure [5] gigantesque. Jean-Pierre passe sa tête à la fenêtre en souriant.

« Tout ce que tu m'as dit, tout ça, ne me touche pas. Ce qui est important c'est la communication. »

Toujours les mots comme des moustiques, comme des balles de jongleur. Quand on sait bien les manipuler on en prend un tout simple et puis, selon l'intonation qu'on y met ou sa place

1. **Bifurquer** : prendre une direction différente.
2. **Enterrement** (m.) : funérailles.
3. **Connerie** (f., fam.) : imbécilité.
4. **Blatte** (f.) : insecte, cafard.
5. **Ordure** (f.) : déchet.

dans la phrase, on en fait une flèche empoisonnée.

La communication ! De quelle communication veut-il parler ?

La nuit est jaune. Là-bas, barrant la rue, au loin, il y a un monument désaffecté [1], je crois que c'est un vieux marché, il est tout illuminé et, par le petit belvédère qui le surplombe, sort de la fumée, c'est croquignolet [2].

Pour répondre à Jean-Pierre, il faudrait que j'aille chercher une source au fond de moi qui passerait tout le long de ma colonne vertébrale, qui se déverserait en vaguelettes [3] contre chacune de mes vertèbres, se regrouperait en une vague unique dans ma cage thoracique et sortirait visible, en forme d'éventail, par ma bouche. Comme le bonhomme qui crachait du feu sur la réclame des cataplasmes « Rigolo ». Voilà, c'est ça que je veux dire en ce moment, exactement ça, une vague qui tourne sur elle-même avec des transparences bleuâtres et verdâtres et de la mousse [4] épaisse et légère. Je n'ai rien d'autre à lui dire. En tout cas je ne veux pas employer de mots.

Les fêtes de nuit sont supprimées. Seulement quelques amis qui viennent dans la soirée, qui restent dîner avec nous, bavardent. C'est agréable. Jean-Pierre a dit que nos présences lui rendaient ces fêtes moins agréables, que ce n'était pas très sain pour les enfants de s'endormir si tard.

Une dizaine de jours se sont écoulés depuis notre arrivée. Les enfants et moi sommes toujours aussi intéressés par la vie en Amérique du Nord. Tout est différent. Ce mélange de vétusté dans l'ultramoderne est ce qui nous surprend le plus. Les magasins sont des bric-à-brac [5] poussiéreux. La nourriture a l'air succulente et se révèle immangeable. Nous organisons de véritables expéditions dans l'est dans les quartiers juifs, portugais,

1. **Désaffecté** : qui n'assure plus le service pour lequel il était prévu.
2. **Croquignolet** (fam.) : mignon, amusant.
3. **Vaguelette** (f.) : petite vague.
4. **Mousse** (f.) : écume.
5. **Bric-à-brac** (m.) : amas de vieux objets.

grecs où se trouvent de vrais légumes, de vrais fruits, de la viande, du pain.

Il fait une chaleur harassante [1].

La nuit tombe très tard ici l'été.

Un soir Jean-Pierre rentre de son travail couvert de sueur.

« Quelle chaleur ! J'espère que vous avez passé la journée à la piscine. »

Il se déshabille, prend une douche et commence à bouger dans la maison vêtu d'un petit slip rouge.

« Qu'est-ce qu'il y a ce soir pour dîner ?

— J'ai pris des côtes d'agneau à faire sur le barbecue.

— Bonne idée. Mais je n'ai plus d'essence pour allumer le charbon de bois.

— Envoie un des enfants en chercher. »

Je suis dans la cuisine en train de préparer une sauce tomate devant la cuisinière.

Dorothée près du frigidaire fabrique une grande cruche [2] de cool-aid [3], une de ces cochonneries [4] dont ils ne voudraient pour rien au monde à Paris.

J'entends Jean-Pierre m'appeler. Un grand cri rauque. Encore une fois mon nom. Je me précipite et je le vois traverser la pièce, un bidon d'essence enflammé à la main. Des gouttes enflammées tombent sur le parquet et font un chemin de petits feux derrière lui. L'électrophone et des piles de disques brûlent. Je fais le chemin inverse du sien pour aller chercher une carpette [5] et taper sur le feu. Au moment où je me baisse, j'entends un hurlement de bête. Je me retourne. Jean-Pierre a laissé tomber le bidon. L'essence s'est répandue. Le fond de la pièce et l'entrée ne sont plus qu'une seule flamme énorme qui remplit tout l'espace. Le

1. **Harassant** : fatigant.
2. **Cruche** (f.) : vase.
3. **Cool-aid** (m.) : rafraîchissement.
4. **Cochonnerie** (f., fam.) : ici, chose peu appétissante.
5. **Carpette** (f.) : petit tapis.

feu est monté tout à coup jusqu'au plafond comme un geyser avec un ronflement qui craquette [1], vif, beau, aveuglant.

En une seconde je vois les enfants sur l'échelle d'incendie. Dorothée est encore dans la cuisine, elle y est presque prisonnière du feu. Si elle ne sort pas tout de suite elle va brûler vive.

« Dorothée ! Dorothée ! »

Je n'ai pas le souvenir de l'avoir vue sortir. Pourtant j'ai su qu'elle avait rejoint les autres.

« Descendez, appelez les pompiers. »

Ne restent plus que Jean-Pierre et moi. Une chose est certaine, c'est que je ne sortirai pas sans lui.

« Jean-Pierre ! Viens, le feu est trop fort. »

Il se démène comme un petit diable de Bruegel [2], il fait des efforts dérisoires en face de ce brasier. Il gigote [3] dans le feu.

« Jean-Pierre, sors, tu ne peux rien. »

Il ne m'entend pas.

Je reste debout à le regarder faire désespérément des gestes inutiles. La belle maison en trompe-l'œil [4], les costumes de théâtre, les vêtements de cinéma, les ornements de parade, fondent, éclatent, brûlent et disparaissent. Plus rien. Plus rien de faux. Un grand brasier d'éventails à brasser [5] de l'air glacé, de chaussures d'ogres, de guêpières [6] à étrangler les amants, de hachisch pour les endormir, de pantalon à transformer les culs en chaudrons [7] de sorcières, de gants pour épingler les papillons, de colliers, de dentelles, pour cacher les ulcères et la vieillesse. Ça brûle en pétant, ça nourrit un fameux incendie.

1. **Craqueter** : produire des craquements.
2. **Bruegel** (Pieter, 1564-1638) : peintre flamand.
3. **Gigoter** : agiter tout son corps.
4. **Trompe-l'œil** (m.) : peinture qui crée l'illusion d'objets réels en relief.
5. **Brasser** : remuer.
6. **Guêpière** (f.) : gaine étroite qui amincit la taille.
7. **Chaudron** (m.) : récipient métallique où l'on fait chauffer, bouillir ou cuire.

Et lui jusqu'à quand va-t-il rester là-dedans ? Va-t-il réagir ? Va-t-il se laisser brûler tout entier ?

Je gueule comme une folle. Tout est fou.

« Jean-Pierre, sors de là ! On ne crève pas pour des objets, pour des murs. Je t'ordonne de sortir. Foutons le camp ! »

Le voilà qui vient, le buste penché en avant, les bras écartés [1] du corps. Ses poils, ses cheveux, ses sourcils en brûlant ont pris l'aspect de caramel. Il souffre, il prend un visage d'enfant que je ne lui ai jamais vu, une face chagrine [2] de petit garçon. En descendant l'escalier métallique il me montre un grand lambeau de peau qui est parti de sa jambe. Je ne comprends pas qu'il est très brûlé. Les pompiers l'enveloppent, le ficellent [3] comme un saucisson sur une civière [4], m'enfournent à ses côtés dans l'ambulance. Et vogue la galère [5].

Mes enfants sont restés sur le trottoir. J'ai toujours à la main un couteau et une tomate. Je suis pieds nus.

Je prends conscience que je n'ai pas pensé une seconde à sauver les papiers, l'argent et surtout de vieux et très beaux bijoux de famille. Enfin libre. Enfin séparée de ces foutaises [6].

Me voilà flottant dans l'air urbain chaud et malodorant. Me voilà coupant les avenues avec des bruits de sirène et des lumières bleues tournantes. Dans le firmament de l'ambulance il souffre, il répète :

« Pourquoi est-ce que j'ai mis le feu ? Qu'est-ce que j'ai fait brûler ?

— Calme-toi. On s'en fout du feu. Laisse tomber l'appartement. Laisse-toi aller. On a largué les amarres [7]. »

1. **Écarté** : éloigné.
2. **Chagrin** : triste.
3. **Ficeler** : lier avec de la ficelle.
4. **Civière** (f.) : dispositif pour transporter les malades, les blessés.
5. **Vogue la galère** : arrive ce qui pourra !
6. **Foutaise** (f., fam.) : chose insignifiante.
7. **Larguer les amarres** : détacher, lâcher les amarres.

Découvrons ensemble ...

... les réflexions de la narratrice sur la présence des jeunes chez elle et sur l'éducation qu'elle a reçue

- « À force d'essayer de comprendre leurs malaises, leurs goûts, je me définis mieux moi-même et j'éprouve un grand sentiment de liberté. » Commentez cette phrase en soulignant l'importance de la présence des jeunes chez elle.
- Considérez les « mots d'ordre » qui réglaient sa vie quand elle était jeune et dites quel type d'éducation elle a reçue.
- Est-ce qu'il y a des points en commun entre l'éducation qu'elle a reçue et la façon dont vos parents vous ont éduqués ?
- Essayez de rédiger vous-mêmes les « mots d'ordre » de votre vie en soulignant ce qui vous est permis et ce qui vous est interdit. Servez-vous des expressions suivantes :

Ne + impératif + *pas / jamais*
On ne ... pas / jamais
Il ne faut pas / plus + infinitif
Il ne faut pas / plus que + subjonctif
J'exige que + subjonctif
Je ne veux pas que + subjonctif
Tu n'as pas le droit de + infinitif
Je t'interdis de + infinitif
Je ne te permets pas de + infinitif

... ce que la narratrice est allée faire au Canada ainsi qu'un épisode important qui s'est passé là-bas

- Pourquoi est-ce qu'elle se rend au Canada de temps en temps ?
- Pourquoi est-ce qu'elle a voulu que ses enfants fréquentent une école française ?
- Où habite son mari ? Que se passe-t-il chez lui ?
- Comment réagissent les enfants à cette situation ?
- Racontez l'épisode de l'incendie en utilisant les mots suivants :

Soir   Chaleur   Barbecue   Bidon d'essence
Échelle d'incendie   Risquer de   Allumer

- « Pour terminer ma mutation il y a eu le spectaculaire incendie de Montréal qui a réglé définitivement les comptes anciens que je tenais avec moi-même. » Expliquez cette phrase en disant quelles ont été les conséquences de l'incendie dans la vie de la narratrice.

Analysons le récit

- En lisant le texte vous avez peut-être remarqué que dans la narration d'un événement passé, l'auteur passe rapidement de l'imparfait au présent de l'indicatif ou au passé composé. Réfléchissez sur cet aspect du style de Marie Cardinal et dites de quelle façon le changement de temps correspond à une action qui devient de plus en plus dramatique et de moins en moins éloignée du présent du point de vue psychologique.
- Retrouvez les cinq subdivisions qui composent cette sixième partie du roman et donnez-leur un titre.

Discutons ensemble

1. « La perte totale de toutes mes possessions matérielles a été le premier tremplin de ma libération. » Analysez cette affirmation et dites de quelle façon l'épisode de l'incendie marque une rupture définitive avec l'éducation que la narratrice a reçue.
2. Quelle importance donnez-vous aux possessions matérielles ? Est-ce qu'il y a des objets qui représentent pour vous des souvenirs significatifs ?
3. Est-ce que les interdictions de vos parents vous paraissent justes ? Pourquoi ?

Mots à retenir pour ...

... parler des permissions et des interdictions des parents

Il faut + inf. / *que* + subj.
Il est indispensable / nécessaire de / que + subj.
On ne peut pas + inf.
Il est interdit / défendu de + inf.
Il est permis de + inf.
Avoir le droit de + inf.
Être obligé de + inf.

- Écrivez une lettre à votre correspondant français en lui racontant les rapports que vous entretenez avec vos parents, y compris ce que vous pouvez et ce que vous ne pouvez pas faire selon eux.

J'AI mis plusieurs jours à rédiger cette histoire d'incendie et faire le point. À relire parfois ces pages, au hasard, je me dis que je suis folle, que j'exagère. Ma vie n'est pas si compliquée. Ce ne sont que les événements marquants que je note. Je jette là, en vrac [1], des portraits que j'ai mis des mois, voire même des années à constituer.

Je les observe et je n'arrive pas à avoir une idée exacte de leur vie sexuelle. Leur sexualité est normale et s'exprime plus librement que la nôtre à travers la musique, la danse et les bandes dessinées. De mon temps la mode des danses enlacées était déjà passée. Il n'y avait plus de valses ou de tangos. Le bop, le jitterbug, le boogie-woogie se dansaient séparément. Nous nous rattrapions avec le slow et je me souviens de certains airs du genre « Stormy weather » qui étaient remis dix fois de suite sur le pick-up. Collées contre les garçons, nos bras autour de leur cou, leurs bras à eux nous plaquant contre leur ventre, nous passions de bons moments. Les chambres de l'appartement, déserté par les parents en l'honneur de la « surprise-partie », restaient rarement vides. Il m'arrive souvent de rentrer à la maison à une heure imprévue, jamais je n'en ai trouvé deux dans un coin en train de flirter, pas une seule fois.

J'en faisais la remarque à un professeur de Charlotte. Elle a répliqué qu'il y avait beaucoup de filles enceintes.

« Plus que de notre temps ?

— Beaucoup plus.

— Vous ne croyez pas qu'elles se cachent moins ? qu'elles ont plus de courage que nous en avions ?

— Non, non, les mœurs [2] sont beaucoup plus relâchées [3]. »

Je n'ai pas insisté, n'ayant pas de statistiques en tête et mettant sur le compte de ma Méditerranée natale une chaleur des

1. **En vrac** : pêle-mêle.
2. **Mœurs** (f.) : morale, conduite.
3. **Relâché** : dissolu, corrompu.

rapports entre les garçons et les filles qui n'était pourtant pas le fait d'un petit groupe. Dans ma ville une fille de seize ans pucelle [1] était rarissime. Sacrée Méditerranée. Je lui dois de beaux souvenirs en tout cas.

Il me semble qu'ils sont beaucoup plus sages, beaucoup plus graves, beaucoup plus responsables que nous l'étions. Quand ils dansent ils sont extrêmement beaux à voir. Mais ils dansent seuls, pour eux-mêmes, enfoncés dans le rêve que la musique leur procure. Leurs corps expriment librement ce que les nôtres n'osaient exprimer qu'en cachette, dans un secret moite [2] et malheureusement honteux.

Ce soir je suis seule chez moi. Cela ne m'était pas arrivé depuis des mois, probablement des années. Ils sont partis à droite, à gauche, au cinéma, au théâtre, à Clamart... J'ai mis sur le magnétophone *Country Joe and the Fish*, il y a là-dedans un bon rock'n roll qui me transporte tout droit aux beaux jours de ma jeunesse. Je suis heureuse.

Je me souviens avec tendresse des dimanches durant l'été de mes quinze ans.

La préparation à la messe était toute une affaire. Comment se débrouiller pour être à la fois jolie pour Jean-Pierre et correcte pour ma mère. Plaire aux deux !

Éviter les couleurs voyantes [3] et les robes trop dénudées. Quelles complications ! Cela occupait mon esprit depuis le samedi soir. En avant, à la parade ! Les chaussettes de fil bien tirées sur mes mollets [4] d'adolescente, le canotier [5] sur la tête et toujours ces sacrés gants. Encore aujourd'hui les gants me font transpirer, je ne les supporte pas. J'en avais une boîte pleine, en coton, en piqué, en velours, en filet, en cuir. Toujours blancs

1. **Pucelle** : vierge.
2. **Moite** : légèrement humide.
3. **Couleur voyante** : qui attire la vue.
4. **Mollet** (m.) : partie charnue à la face postérieure de la jambe.
5. **Canotier** (m.) : chapeau de paille.

pour l'été avec un bouton de nacre [1] ou une grosse pression, des nervures sur le dos. Comme Mickey !

J'aimais la messe car elle était le prélude à ces longues et belles journées de dimanche où tout le monde se retrouvait sur la plage vers midi.

« Introibo ad altare Dei, ad Deum qui lætificat juventutem meam » : mon Jean-Pierre dans les vagues. Quel bonheur !

« Ecce agnus Dei, ecce qui tollit peccata mundi » : on plonge à trois mètres de fond, on se frôle, on frôle [2] les algues, quelle joie !

« Kyrie eleison » : je lui donnerai ma main à la prochaine séance de cinéma, quelle chancc !

« Ite missa est » : je vais le voir tout de suite, avec son col dur, sa cravate et ses cheveux fins qu'il aura mouillés et coiffés sur le côté pour les discipliner. Quelle beauté !

Je savais que mon heure ne viendrait qu'après le déjeuner. En attendant je nageais, je faisais du bateau avec les autres, avec Jean-Pierre.

Les parents installés sur la plage comme au théâtre, dans des transats [3] ou des fauteuils de rotin [4], à l'ombre de parasols frangés de pompons blancs. Chaque famille devant sa maison. Une douzaine de familles en tout. Les adultes sur le sable sec, les bébés au ras des vagues avec leurs nurses. Les enfants et les adolescents dans l'eau.

Le déjeuner frais de la Méditerranée avec des salades, du poisson, des glaces, des fruits, dans une salle à manger aux volets [5] clos dont la fraîcheur faisait frissonner comme la mer quand on y entre.

1. **Nacre** (f.) : substance à reflets irisés qui tapisse intérieurement la coquille de certains mollusques.
2. **Frôler** : toucher légèrement.
3. **Transat** (m.) : transatlantique, chaise longue.
4. **Rotin** (m.) : matériau ajouré.
5. **Volet** (m.) : jalousie, persienne.

Après, la sieste obligatoire. La corvée de la sieste [1]. Jusqu'à quel âge faudra-t-il perdre ces heures bouillantes ? Toujours faire semblant, mentir. Il y a belle lurette que [2] je fais sauter la sieste. Que de ruses [3] employées d'été en été, jour après jour ! Quelle école de la dissimulation !

J'attends le coup de sifflet, comme une roulade [4] de gros oiseau. C'est Jean-Pierre qui m'appelle, caché dans les lauriers-roses [5]. Je sors de la maison assoupie. Je traverse le jardin qui sent la terre chaude. Je rejoins le chemin de sable où il`m'attend et où nous retrouvons tous les copains.

On a un vieux phonographe qui se remonte avec une manivelle, de vieux disques. On part dans la forêt qui touche les maisons et que nous connaissons par cœur pour y avoir joué pendant toute notre enfance.

Je n'avais aucun regret des mensonges que je faisais. Je n'avais pas même peur qu'ils découvrent notre cachette [6]. Peur qu'on me pique avant la sortie ça oui. Être privée de ma forêt, ça aussi.

Nous nous enfoncions très loin, jusqu'à une clairière [7] de sable ocre entre les troncs des pins maritimes. Nous restions là jusqu'à ce que le soleil soit moins chaud.

Ça sentait la résine, le lentisque, le thym, le fenouil, le lis de sable.

À l'orée [8] de la forêt les arbres se rabougrissaient [9] pour lutter contre le vent et le sel, ils n'allaient pas plus haut que le sommet de la dernière dune. Ils se courbaient, entremêlaient leurs

1. **La corvée de la sieste** : le moment redouté de la sieste.
2. **Il y a belle lurette que** (fam.) : il y a bien longtemps que.
3. **Ruse** (f.) : astuce.
4. **Roulade** (f.) : chant, succession de notes.
5. **Laurier-rose** (m.) : type d'arbrisseau à grandes fleurs roses ou blanches.
6. **Cachette** (f.) : endroit où l'on se cache.
7. **Clairière** (f.) : endroit sans arbres dans un bois, une forêt.
8. **Orée** (f.) : bordure, bord.
9. **Se rabougrir** : arrêter son développement normal.

branches, si serrés que nous pouvions marcher dessus. De là on voyait la mer d'un côté et la nappe des arbres de l'autre, jusqu'aux montagnes. En dessous nous nous faisions des maisons.

Ce Jean-Pierre-là, je n'ai jamais fait l'amour avec lui, je ne l'ai jamais même embrassé vraiment.

Les adolescents sont purs. Pourquoi les parents croient-ils que leurs enfants sont moins purs qu'ils n'étaient ou plus corruptibles ? La jeunesse est toujours aussi belle et grave. Ce sont les affaires qui ont changé. De mon temps la jeunesse était moins intéressante pour les adultes. Elle n'était pas encore considérée par eux comme un fameux marché.

LES JEUNES aujourd'hui savent très bien qu'ils sont un objet de consommation qui consomme.

Sur le chemin très court entre mon bureau et la maison, j'ai pu, grâce aux encombrements [1], regarder en détail trois immenses affiches. La première représente une jeune fille, hiératique, debout, prise à contre-jour [2], figée comme une statue, complètement nue. En faveur du tourisme hellénique. Grâce au contre-jour on ne voit pas les poils de son sexe, ni les détails de ses bouts de sein, ni les traits de son visage.

Sur la seconde affiche deux enfants entrent dans une mer paisible aux vaguelettes mousseuses, au sable onctueux, en plein soleil. Ils sont vus de dos et tournent leurs visages épanouis vers le passant. Ils sont entièrement nus. Publicité pour les plages toutes neuves du Languedoc qui font partie d'un vaste plan national d'aménagement du territoire.

La troisième affiche, juste à l'angle de mon immeuble, représente une famille de trois personnes, le père, la mère et un petit enfant, très beaux, assis les uns cachant le sexe de l'autre

1. **Encombrement** (m.) : embouteillage.
2. **À contre-jour** : en tournant le dos à la lumière.

artistement, car ils sont tous les trois absolument nus. En faveur de l'assurance vie.

Ces trois affiches ont facilement quatre mètres sur trois, colorées, belles, agréables, ne donnant qu'une envie : se balader à poil [1].

Allez le faire !

Il y a trois ans, au mois de septembre, nous avions trouvé un véritable paradis en Corse, en plein désert des Agriades. Pour y parvenir il fallait prendre un petit chemin de terre au bout duquel on devait abandonner la voiture. Puis il fallait marcher au moins deux kilomètres dans une garrigue [2] épineuse. Enfin on arrivait dans notre merveilleux campement. Pas un village, pas une maison, pas une ferme, rien. La montagne derrière nous, la Méditerranée devant. Entre les deux une plage blanche, des dunes et, derrière les dunes, des bosquets de lentisques et de pins maritimes.

À quoi servaient les vêtements dans ce lieu ? Nous étions là tous les cinq, le père, la mère et leurs trois enfants, seuls. Nous connaissions nos anatomies par cœur. Nous pêchions, nous cueillions des mûres et des figues sauvages. Le bonheur.

Un matin très tôt, alors que nous préparions notre petit déjeuner, un homme a surgi de la dune. Il était petit, trapu [3], musculeux, la tête enfoncée dans un gros cou, les cheveux tondus [4]. Les jambes de son pantalon étaient relevées jusqu'aux genoux, le torse nu. Il portait à la main un sac de plastique transparent plein d'anguilles qu'il venait de pêcher en fraude dans le petit cours d'eau qui se jetait dans la mer non loin de notre camp. Un braconnier. Il se dressait dans le matin tout frais. Il s'adressait à nous à pleine voix, avec un visage sévère.

1. **Se balader à poil** : se promener tout nu.
2. **Garrigue** (f.) : terrain aride de la région méditerranéenne, recouvert par une végétation broussailleuse.
3. **Trapu** : court et large.
4. **Tondu** : coupé à ras.

« Vous êtes nus. Vous n'avez pas honte ? »

Notre faute était si grande qu'il ne cachait même pas la sienne. Être nu c'est bien pire que de braconner. À part évidemment pour de la publicité qui sert à faire consommer de l'avion, des hôtels ou des assurances, toutes choses respectables.

Les jeunes ne sont jamais dupes [1] de cette comédie.

« Les Beatles, qu'est-ce qu'ils se font comme fric !

— Ils sont complètement récupérés [2].

— Ils ont même été décorés par la reine d'Angleterre.

— Ils ont rendu la décoration.

— D'accord, mais ils ont commencé par la prendre.

— Un gars comme Hendrix c'était un gars honnête.

— S'il n'était pas mort si vite, peut-être qu'il aurait fait comme les Beatles.

— Il paraît qu'il donnait tout son pognon [3] aux autres. Lui, il vivait comme un minable [4].

— On parle d'eux et on pense même pas à dire merci aux fabricants de disques. On connaîtrait pas tous ces mecs-là [5] si y avait pas les marchands de disques. Ils sont sapés [6] comme des bourgeois mais ils crachent pas sur les débiles. Ils sont conservateurs et capitalistes mais je suis sûr qu'ils favorisent le trafic de la came et les fabriques de vêtements fricky.

— T'as vu la dernière pochette des Rolling Stones ? Super-beau !

— Oh ! dis donc la nana [7] !

— Et la pochette de Santana !

— Et le mec sur l'autre pochette. Tu vois y sortirait d'ici,

1. **Dupe** : que l'on trompe facilement.
2. **Être récupéré** : annexer quelqu'un qui était autonome à l'origine.
3. **Pognon** (m., fam.) : argent.
4. **Minable** : misérable, médiocre.
5. **Mec** (m., fam.) : homme.
6. **Sapé** (fam.) : habillé.
7. **Nana** (f., fam.) : fille.

fringué [1] comme ça, avec la gueule qu'il a, il fait pas cent mètres. Les flics l'embarquent en le tirant par les cheveux !

— On dit qu'il faudrait pas consommer les produits des vieux. Mais alors il faudrait pas consommer de disques non plus.

— Ben alors d'où tu sors ! Tu viens de découvrir ça ? Tu crois peut-être que c'est nous qui avons découvert les Beatles ? Ça va pas, non ! C'est des vieux qui nous les ont fourgués [2], comme la drogue, comme le reste.

— Tous les mecs qui trafiquent avec la jeunesse ils devraient nous aider.

— Qu'est-ce qu'elle est conne [3] celle-là ! Ils travaillent pas avec la jeunesse. Ils trafiquent avec le pognon. Ils s'en foutent pas mal de la jeunesse. On est un marché, c'est tout. »

MON QUARTIER est un quartier pauvre qui s'est voté une municipalité UDR [4]. Petits retraités, petits cadres, petites entreprises, petits commerces. Misère décente. Immeubles hauts et sordides serrés les uns contre les autres le long de rues étroites. Tout cela est voué à [5] la démolition. D'ici quelques années ce sera Chicago par ici.

Mon « ensemble » est l'image de la « vie moderne » qui régnera bientôt à cette porte de Paris. Parallélépipèdes entourés de pelouses [6]. Une tour de vingt étages qui élève le tout. Pour dire la vérité c'est agréable à habiter. Il n'y a pas de bruits de rue. Beaucoup d'arbres, de verdure. Chaque année c'est le pépiement [7] des oiseaux sous mes fenêtres qui m'apprend que le printemps

1. **Fringué** (fam.) : habillé.
2. **Fourguer** (fam.) : vendre de la mauvaise marchandise.
3. **Conne** (fam.) : stupide.
4. **UDR** : parti politique de droite.
5. **Être voué à** : être destiné à.
6. **Pelouse** (f.) : terrain couvert d'une herbe courte et serrée.
7. **Pépiement** (m.) : petit cri des jeunes oiseaux.

vient. J'ai souvent pensé à l'architecte qui a construit ces appartements. À Paris, pour le prix qu'ils coûtent à la location, c'est parfait. Parfait pour une famille normale qui dort la nuit et vit le jour. Pour nous c'est souvent le contraire. La maison est suffisamment bien insonorisée pour que nous ne dérangions pas trop nos voisins. J'entretiens d'excellents rapports avec eux. Je ne cesse d'expliquer aux enfants qu'ils doivent les respecter comme ils nous respectent. Ça marche, c'est incroyable !

Le secteur des chambres est bien séparé du secteur living-room-cuisine.

Un dimanche, j'étais dans ma chambre, Grégoire a crié du salon :

« Maman, viens voir, c'est plein de flics et de pompiers !

— Grégoire, je n'ai pas envie de bouger, ne me fais pas venir pour rien.

— Non, je t'assure, c'est plein de flics. »

Il avait raison. Huit voitures : la police, les pompiers, des ambulances.

« Qu'est-ce qui se passe ?

— On n'en sait rien. »

À peine arrivée sur le balcon je vois sortir de l'immeuble d'en face deux pompiers transportant un brancard vers une ambulance. Des couvertures en désordre laissaient deviner une forme petite. Nous habitons le premier étage, c'est facile de parler avec les gens qui passent en dessous, concierges, gardiens, voisins. C'est comme cela que nous avons su qu'un enfant venait de se faire écraser dans un ascenseur. Un gosse qui n'habitait pas notre ensemble, un petit garçon d'un des immeubles vétustes qui sont voués à la démolition et dont les toits bardés d'antennes de télévision semblent interdire au bleu du ciel de descendre plus bas, comme des fils de fer barbelés [1]. Pour son dimanche il était venu s'amuser dans les ascenseurs. Comme on va à la foire du Trône. Il a appuyé sur le bouton. Pas assez fort sûrement car

1. **Barbelé** : garni de pointes.

l'ascenseur est monté d'un mètre cinquante puis s'est arrêté. Immobilisé entre le rez-de-chaussée et le premier étage, l'enfant, à coups de pied, a défoncé [1] la fenêtre qui orne la porte de l'ascenseur. Il a essayé de sortir par là, les pieds les premiers, puis le corps, mais la tête n'est pas passée. Quelqu'un dans les étages supérieurs a appelé l'ascenseur. Ce petit garçon a eu le crâne broyé [2] comme une noix.

Grégoire :

« À sept ans, j'aurais jamais pensé à défoncer la porte. J'aurais gueulé, j'aurais flanqué des coups pour faire du bruit. J'aurais pas fait ça. »

L'avis de Grégoire est important car il a été un casse-cou [3] effrayant [4] dans son enfance.

« Ça c'est un coup de la télé. « Mission impossible », « Zorro » et tout le reste. Il a vu des trucs impossibles qui marchent à tous les coups. Ça a pas marché pour lui. »

Nous étions consternés. L'après-midi était pesant et n'en finissait plus. Tout était triste.

Le lendemain ça a été le grand cinéma de la télévision et de la radio. Voitures, caméra, micros.

« Tu as vu le gardien tout ce qu'il raconte ? Il n'était pas là, c'était son jour de congé. Il ne sait rien.

— Y a la gardienne qui fait la vedette. Elle était pas là, le dimanche c'est sa remplaçante [5] qui garde la loge [6]. »

On filmait la porte d'ascenseur à la vitre cassée. On faisait parler les passants.

« Mais les gens qui parlent ne savent rien !

— Et puis maman, le gosse est mort, c'est vachement triste.

1. **Défoncer** : briser par enfoncement.
2. **Broyé** : réduit en parcelles très petites.
3. **Casse-cou** : imprudent.
4. **Effrayant** : épouvantable.
5. **Remplaçant** (m.) : substitut.
6. **Loge** (f.) : logement habité par le concierge.

Mais il y a tellement de gens qui crèvent dans le monde. Pourquoi est-ce qu'ils font une telle histoire avec ça ?

— Parce qu'il ne doit pas y avoir de nouvelles sensationnelles aujourd'hui. Il faut qu'ils fassent leur journal. »

C'était la première fois qu'ils prenaient conscience de la façon dont se fait l'information. Ils ne comprenaient pas comment l'histoire de ce pauvre gosse pouvait « faire un sujet ».

« Il y a combien de gosses qui sont morts au Viêt-nam hier ?

— Le Viêt-nam c'est loin. »

ODILE veut rester à la maison pendant le week-end parce que Charlotte a eu de nouveaux disques pour sa fête et aussi Alain, dont elle est amoureuse maintenant, a dit qu'il passerait dimanche à l'heure du déjeuner.

Je téléphone à la mère :

« Odile peut-elle rester ce week-end chez moi ?

— Ah ! non. Il n'en est pas question. Nous venons d'acheter une maison de campagne, il faut en profiter ! Elle écoutera les disques la semaine prochaine. Vous ne trouvez pas que c'est idiot de ne pas profiter du bon air pendant deux jours ?

« Quant à Alain je ne veux pas en entendre parler et son père encore moins. Qu'elle ne compte pas sur nous pour obtenir des pilules. C'est trop facile ces histoires-là de nos jours. »

POURQUOI me suis-je engagée dans cette voie compliquée? Je n'y éprouve aucune crainte, aucune gêne. Simplement j'enrage de ne pas avoir assez d'argent, assez de temps, assez de place.

Depuis quelque temps Geneviève est triste. Je croise souvent le regard perdu de ses beaux yeux bleus. Elle ne parle guère. C'est une des plus anciennes amies de Charlotte. Il y a des années que je la connais.

C'est son frère aîné qui m'a raconté l'histoire de leur famille et la raison de la tristesse de Geneviève.

Leurs parents se sont rencontrés il y a de ça vingt-cinq ans et ça a été le coup de foudre. Lui JEC [1] à tous crins [2], elle fille d'un instituteur communiste. Par amour pour lui, elle s'est convertie à la religion catholique et a commencé à vivre sa nouvelle vie comme une militante du Christ. Ils ont eu cinq enfants. Les années passant, il a perdu sa foi. Elle s'est enracinée dans l'Église. Il est parti vivre à la campagne. Elle est restée avec ses enfants. Elle se débat dans des conflits épouvantables. Elle ne sait plus où elle en est.

Il y a quelques jours, un dimanche, ils m'ont invitée à déjeuner chez eux. Ils habitent un petit pavillon [3] de banlieue. Charlotte m'avait toujours parlé de la maison de Geneviève comme d'un havre [4]. J'étais contente de connaître ce lieu.

De l'extérieur rien d'extraordinaire, la laideur banlieusarde habituelle. Dès la porte d'entrée ouverte, la misère m'enfonce la tête dans les épaules. Petit couloir étroit à la peinture écaillée [5]. Compteurs de gaz et d'électricité, vieilles bottes dépareillées [6]. Escaliers râpés [7], usés, branlants [8], le plâtre [9] qui s'écaille. À

1. **JEC** : Jeunesse Étudiante Chrétienne.
2. **À tous crins** : énergique, ardent.
3. **Pavillon** (m.) : maisonnette, villa.
4. **Havre** (m.) : port.
5. **Écaillé** : qui s'écaille.
6. **Dépareillé** : désassorti, qui n'est plus avec les autres objets qui formaient une paire.
7. **Râpé** : usé.
8. **Branlant** : instable, mal fixé.
9. **Plâtre** (m.) : matériau courant, de couleur blanche, dont on recouvre les murs.

l'étage une pièce, une cuisine, une chambre — sinistres. Des murs sans couleurs, des rideaux sans couleurs, un piano droit, une table qui mange toute la place, quelques chaises bancales [1], un vieux lit couvert d'un couvre-lit délavé avec encore des formes de couvre-lit bien-pensant. Une cuisine rouillée [2], déglinguée [3]. Par les fenêtres on voit un jardin abandonné, comme ravagé [4] par la guerre, envahi par les mauvaises herbes, piqueté [5] de ferrailles : vieux vélos, vieilles poussettes [6], vieux Solex, vieux pots de chambre se squelettisant là depuis des années. Il semble que le temps se soit arrêté un jour pour toujours. Depuis ça s'empoussière, se défait, s'éloigne. Photos des enfants petits, branches d'arbres ou galets [7], souvenirs de vieilles promenades familiales peut-être. Accumulation de vêtements, de paperasses [8], dans des placards qui ferment mal, derrière des rideaux où manquent des anneaux.

En haut, d'autres chambres et une salle de bain dans le même état d'abandon.

Nous avons mangé un couscous délicieux et des tartes aux pommes inoubliables.

Je n'ai pas pu parler avec cette femme. Elle me faisait peur. Il y a une certaine acceptation de la misère que je trouve malsaine.

De retour à la maison j'ai demandé à Charlotte :

« Comment peux-tu aimer aller dans cette maison ? Je l'ai trouvée très triste.

— On ne va que dans la grande chambre du haut. On est libres, on fait ce qu'on veut. Il n'y a pas de voisins. »

1. **Bancal** : dont les pieds sont inégaux, qui n'est pas d'aplomb.
2. **Rouillé** : couvert de rouille.
3. **Déglingué** (fam.) : démoli, désarticulé.
4. **Ravagé** : détruit.
5. **Piqueté** : jalonné.
6. **Poussette** (f.) : petite voiture d'enfant.
7. **Galet** (m.) : caillou.
8. **Paperasse** (f.) : papier écrit, inutile ou encombrant.

La raison de la tristesse de Geneviève, c'est qu'elle va bientôt rester seule chez elle avec sa mère et son jeune frère. Sa sœur aînée vit avec un poète et cherche un logement. Son frère aîné qu'elle adore a trouvé du travail dans la banlieue opposée, il va loger par là. Comme si son père partait encore une fois.

Francis m'a dit :

« Geneviève ne supporte pas maman.

— Pourquoi ?

— Maman est triste. Elle vit dans la défaite de son ménage. Elle en rend mon père entièrement responsable.

— Elle vous embête [1] avec des histoires de religion ?

— Pas du tout. Elle est exemplaire. »

Un autre dimanche le père a emmené toute la bande faire une balade à bord d'une péniche [2].

Ils sont tous revenus les joues rouges et l'air heureux. Ils avaient vu des écluses [3], des rives industrielles et même un cadavre qu'on retirait de la Seine, au loin ; ils se passaient les jumelles [4] pour observer la scène. C'était une belle journée.

MES TROIS ENFANTS, Cécile et Anne, Sarah, Odile, Francis et Geneviève, Lakdar, Françoise, les Dalton, les frères Jackson, trois métis [5] bien élevés, gais et sans histoire, et quatre ou cinq autres dont je n'ai pas parlé dans ces pages car ils ne font rien d'autre que d'être là.

J'ai vécu au contact de cette bande pendant des mois et des mois, quotidiennement. Ils en entraînaient ou en attiraient d'autres qui ne faisaient que passer. J'ai bien dû en loger une

1. **Embêter** (fam.) : gêner.
2. **Péniche** (f.) : bateau fluvial.
3. **Écluse** (f.) : ouvrage hydraulique destiné à retenir ou lâcher l'eau selon les besoins.
4. **Jumelle** (f.) : instrument portatif à deux lunettes.
5. **Métis** : dont le père et la mère sont de races différentes.

cinquantaine et servir des centaines ou des milliers de repas. Je ne sais pas, car pour la tambouille [1] ils se débrouillent tout seuls, ils font la vaisselle et nettoient la cuisine. Côté nourriture mon rôle consiste à remplir de victuailles [2] les placards et le frigidaire au gré de [3] mes possibilités financières.

Quand je le peux je fais une grande blanquette [4] ou un énorme ragoût, ou Lakdar fait un couscous. Nous prenons alors notre repas tous ensemble, empilés tant bien que mal autour de la table trop petite. C'est une fête. Ça se passe en général le dimanche, le seul jour où j'ai le temps de faire de la cuisine.

Ça allait. Nous avions trouvé un rythme, des communications. Ils évoluaient, ils prenaient confiance, ils trouvaient du travail. Et puis un raz de marée [5] est passé sur la maison et je me demande aujourd'hui comment nous en sommes sortis, comment les murs sont encore debout.

C'est venu un soir remorqué par Grégoire : une horde de jeunes pour la plupart étrangers. Des Américains surtout. Une vingtaine. Une nuit, au plus gros de la tourmente, j'ai compté que nous étions trente-cinq là-dedans.

L'incendie de Montréal, la mort de ma mère, les pires crises de Charlotte ou de Grégoire, tout cela n'est rien en comparaison de la seule présence des « Amerloques [6] ».

Moi qui croyais être allée au bout de la dépossession je me suis rendu compte que j'étais loin du compte. Plus de chambre, plus de lit, plus de vêtements, plus de jour, plus de nuit, plus rien. Il y avait là Burt, Vic, Megumi, Nina, Frida, Oliver, Frédérique, Michel, Thuan, Philip, Emily, Sher, Leeroy, etc.

1. **Tambouille** (f., fam.) : cuisine.
2. **Victuailles** (f.) : provisions, aliments.
3. **Au gré de** : selon.
4. **Blanquette** (f.) : ragoût de viande blanche.
5. **Raz de marée** : ici, bouleversement qui détruit l'équilibre existant.
6. **Amerloque** (fam.) : américain.

La musique sans arrêt, la drogue, l'alcool, les « Jesus freaks [1] », les végétariens, les zen [2]. De drôles d'odeurs habitaient la maison, mélange d'encens, de nuoc-mâm [3], de hach [4] et de patchouli [5]. Les quelques meubles croulaient sous des amoncellements de vêtements super-fricky ; chasubles [6] taillées dans des drapeaux, bottes de cow-boys, robes 1925 achetées aux puces [7], chemises de nuit 1900, chapeaux genre mousquetaire ou Texas, plumes d'autruches, paillettes pour les paupières, paillettes pour les narines, bracelets, colliers, foulards indiens.

Mes enfants et leurs copains fascinés.

— *You can sleep here you know.*

— *You can eat here.*

— *If you like this spoon you can keep it.*

— *Sure ?*

— *Sure, my mother does'nt mean.*

— *Oh ! thank you, your mother is fantastic !*

— *And this little chair ?*

— *You can keep it too.*

Ils leur donnaient tout, tout ce qu'ils possédaient, tout ce qu'il y avait dans la maison.

Je les laissais faire. Je les regardais. J'ai d'abord cru qu'ils ne resteraient qu'une nuit. Mais le lendemain ils étaient là et le surlendemain aussi, trois semaines plus tard ils étaient toujours là.

Tout se désagrégeait [8], tout se décomposait à leur contact. La crasse [9], la gentillesse et le néant régnaient. Ils étaient en route

1. **Jesus freak** : hippy.
2. **Zen** : secte bouddhique du Japon.
3. **Nuoc-mâm** (m.) : ingrédient de la cuisine vietnamienne.
4. **Hach** (m.) : hachisch.
5. **Patchouli** (m.) : parfum.
6. **Chasuble** (f.) : vêtement sans manches.
7. **Puces** : ici, marché aux puces, où l'on vend des objets d'occasion.
8. **Se désagréger** : se détruire.
9. **Crasse** (f.) : saleté.

pour une croisade sans but. Ils s'arrêtaient par-ci par-là de par le monde, récoltaient un copain, en perdaient un autre. Ils étaient capables de dormir n'importe où et à n'importe quel moment. Ils ne se dérangeaient nullement les uns les autres.

Charlotte manquait de plus en plus le lycée. Grégoire s'était trouvé deux petites Américaines. Seule Dorothée, toujours impeccable, trouvait le moyen de faire ses devoirs et d'être à l'heure le matin pour ses cours. Telle la statue du Commandeur elle enjambait dignement les corps endormis, laissant derrière elle un parfum de lavande et de propre qui devenait le seul élément baroque de cette assemblée. Je croisais souvent son regard courroucé [1] mais je n'y répondais pas. Je ne savais pas. Je voulais connaître, comprendre. J'ai cru pendant longtemps qu'ils avaient une philosophie, une pensée, un ressort [2]. Ils n'en avaient pas.

Au bout de quelques jours leur inconsistance a commencé à me taper sur les nerfs. Et puis ça puait trop là-dedans. Si l'un d'eux lâchait un pet ou un rot il y avait toujours un copain pour psalmodier comme un chantre sinistre : *It's human*, d'un air résigné comme pour dire : « Il faut vivre avec notre corps, il ne faut pas en avoir honte. »

Rapidement je me suis rendu compte que c'était deux Américains qui faisaient vivre le groupe. Ils téléphonaient en P.C.V. [3] à leurs parents, qui habitaient respectivement à New York et à Los Angeles, pour demander de l'argent. En attendant la manne ils se mettaient à hiberner littéralement. Ils se repliaient sur eux-mêmes, ne se nourrissaient presque plus, fumaient et dormaient. Il paraît que quelques-uns étaient junkies mais je ne les ai jamais vus se piquer. Je crois qu'ils sniffaient surtout.

Je sentais très bien que j'aurais été maladroite en les flanquant brutalement à la porte. Alors j'ai laissé mûrir la situation. Je

1. **Courroucé** : irrité, en colère.
2. **Ressort** (m.) : ici, cause qui fait agir.
3. **P.C.V.** : communication téléphonique payée par le destinataire.

regardais de tous mes yeux. J'essayais de connaître le départ de leur aventure.

Une nuit que je m'étais débrouillée pour libérer ma chambre, j'ai été réveillée par une quinte de toux [1], qui n'en finissait pas. Puis quelqu'un a gratté à ma porte. C'était Burt suivi de Frédérique. Élégante, très mince, les cheveux tirés en chignon, le nez pointu. Ils voulaient le téléphone qui était dans ma chambre pour appeler un taxi. Frédérique devait rentrer chez elle. Il était cinq heures du matin.

« Quel âge as-tu, Frédérique ?

— J'ai quatorze ans. »

Je savais par Grégoire qu'elle s'était accrochée au groupe, un jour qu'elle les avait rencontrés dans Paris. Il paraît qu'elle fait des pompiers aux garçons mais qu'elle ne fait pas l'amour.

« Demain je vais au lycée à huit heures.

— Tu es en quelle classe ?

— En seconde.

— Tu es en avance.

— Oui, heureusement. Je peux me reposer sur mes lauriers [2]. Parce que tu sais, je mène une de ces vies... je ne dors pas.

— Ça t'amuse ?

— Par moments.

— Tu as des frères et des sœurs ?

— Non, je suis fille unique.

— Tes parents doivent se faire un fameux mauvais sang.

— Surtout maintenant qu'ils ont découvert le pot aux roses [3]. Avant je sortais par la porte de service, j'avais la clé. Mais je l'ai perdue. Ils croyaient que je dormais et moi je filais en douce [4]. Mais le jour où je me suis trouvée sans clé j'ai bien été obligée de les réveiller. Alors ils m'ont donné la clé de la porte d'entrée

1. **Quinte** (f.) **de toux** : accès de toux.
2. **Se reposer sur ses lauriers** : jouir d'un repos mérité.
3. **Découvrir le pot aux roses** : découvrir le secret.
4. **En douce** : sans bruit.

principale, enfin, ils la mettent sous le paillasson [1] et je suis sûre qu'ils guettent [2] mes retours Ça m'embête. Je suis obligée de passer devant leur chambre. Ça m'embête.

— Ils savent avec qui tu sors ?

— Vaguement Ça les rassure. Ils préfèrent ça que de me voir sortir avec des gens de leur milieu, ça finirait par se savoir. Tandis qu'avec eux... »

J'ai su son nom. Ses parents sont extrêmement riches et catholiques.

Burt ne comprenait pas notre conversation. Elle s'était assise sur ses genoux, blottie [3] contre sa large poitrine brune de Portoricain. Elle paraissait parfaitement détendue et à son aise. Le taxi est venu.

1. **Paillasson** (m.) : natte servant à s'essuyer les pieds à l'entrée de la maison.
2. **Guetter** : épier, observer.
3. **Blotti** : ici, serré.

Découvrons ensemble ...

... quelques souvenirs de la jeunesse de la narratrice

- Trouvez dans le texte les éléments qui vous permettent de résumer en quelques lignes :
  - ce que la danse représentait à l'époque où elle était jeune et ce qu'elle représente pour les jeunes de nos jours ;
  - ce que la narratrice pense de la sexualité des jeunes ;
  - pourquoi elle n'est pas d'accord avec le professeur de Charlotte qui affirme qu'aujourd'hui les mœurs sont beaucoup plus relâchées.

... ce que la narratrice pense de la publicité

- Lisez la description des trois affiches publicitaires et dites ce qu'elles ont en commun.
- Pourquoi est-ce que la narratrice parle, tout de suite après, des vacances qu'elle a passées en Corse ?
- Est-ce qu'elle pense que les jeunes sont conscients des pièges de la publicité ? Trouvez des phrases du texte où elle exprime son opinion à ce sujet.

... le personnage de Geneviève

- Que savez-vous sur l'aspect physique de cette jeune fille ?
- Pourquoi est-elle triste ?
- Que dit la narratrice à propos des parents de Geneviève ?

- Lisez la description de la maison de Geneviève de façon à pouvoir remplir cette grille avec tous les éléments qui se réfèrent à cette habitation :

Adjectifs	Substantifs	Verbes

- Justifiez ensuite cette affirmation :
  « Il semble que le temps se soit arrêté un jour pour toujours. »

... ce qui se passe à l'arrivée des Américains

- Pourquoi est-ce que la narratrice définit l'arrivée des Américains comme « un raz de marée » ?
- Qui a introduit ces jeunes chez elle ?
- De quoi a-t-elle pu prendre conscience après l'arrivée de ce groupe de jeunes ? Répondez à cette question en interprétant cette phrase :
  « Moi qui croyais être allée au bout de la dépossession je me suis rendu compte que j'étais loin du compte. »
- Quelles sont les conséquences de la présence des « Amerloques » au point de vue de l'organisation de la vie familiale ?
- Comment réagissent les enfants de la narratrice à la présence des Américains chez eux ?

Analysons le récit

- « Ce ne sont que les événements marquants que je note. Je jette là, en vrac, des portraits que j'ai mis des mois, voire même des années à constituer. »
  Réfléchissez sur cette considération et dites de quelle façon elle explique le style de Marie Cardinal.
- Retrouvez les cinq subdivisions qui composent cette septième partie du roman et donnez-leur un titre.

Discutons ensemble

1. Relisez la description des affiches publicitaires et dites si vous connaissez des messages publicitaires qui leur ressemblent. Si oui, décrivez-les et dites s'ils vous paraissent efficaces d'un point de vue promotionnel.
2. Est-ce que vous pensez que les jeunes soient influencés par la publicité ? Inventez un slogan publicitaire pour chacun des produits suivants :

   Produits alimentaires — Produits de beauté
   Produits d'entretien — Appareils électroménagers
   Autres produits...

3. Réfléchissez sur cette affirmation faite par Grégoire quand il apprend qu'un petit garçon a été tué à cause d'un ascenseur :
   « Ça c'est un coup de la télé. [...] Il a vu des trucs impossibles qui marchent à tous les coups. Ça n'a pas marché pour lui. » Êtes-vous d'accord avec Grégoire ?
4. Est-ce que vous pensez que la télévision puisse avoir une influence négative sur les enfants et sur les jeunes ? Justifiez votre réponse en donnant des exemples.

5. Faites une liste de vos émissions préférées. Justifiez vos choix en donnant au moins trois raisons pour lesquelles il faut ou il ne faudrait pas regarder une certaine émission.

Mots à retenir pour ...

... parler de l'influence que la publicité et la télévision ont sur les jeunes

Observer Regarder
Imiter Consommation Influencer
Affiches Émissions Négatif
Représenter Messages Donner envie
Inviter Vendre Marché

- Écrivez une lettre à l'association pour la tutelle des droits des consommateurs en précisant pourquoi certains messages publicitaires vous paraissent particulièrement négatifs ou trompeurs.

L'INTRUSION de l'Amérique ici était un événement considérable car les jeunes Européens sont attirés par ce qui vient du nouveau continent.

Cette expérience était importante. Pas tellement pour mes enfants qui ont déjà vécu là-bas mais pour leurs amis, pour tous les débiles, pour les amoureux de la pop-music et du folk-song du quartier. Ils pouvaient enfin toucher du doigt, poser des questions, vérifier. Ils se débrouillaient pour parler anglais.

Le désespoir des jeunes Américains est encore plus grand que celui des jeunes Européens. Ils ont poussé [1] sur le dollar puritain et c'est dans ce fumier-là [2] que leurs racines ont pris. Ils en éprouvent un grand dégoût, un écœurement qui les rend apathiques ou dangereux. Il faudrait qu'ils soient politisés à outrance et, pour la grande majorité, ils ne le sont que très peu. Leur socialisme a des relents [3] de charité chrétienne, leurs communautés ressemblant à des églises. Le Christ est à la mode aux U.S.A. mais je ne crois pas que ce greffon-là [4] va prendre en Europe. Il me semble que les vieux pays en ont ras le bol des anciennes religions. L'année dernière les enfants avaient amené les disques de *Jésus-Christ superstar*. Ils les ont écoutés pendant une semaine. Au bout de ce temps, l'étude complète de la musique étant faite, ils ont décrété : « C'est d'la merde. Ça va faire des tubes [5] du genre *Love story*. » Terminé.

La drogue est obsédante aux États-Unis et au Canada.

Un soir Nina m'a raconté une conversation qu'elle avait eue avec son père au rez-de-chaussée de leur maison à Montréal. Le père :

« Y aura jamais de drogue ici ma fille, jamais. J'ai onze enfants

1. **Pousser** : croître.
2. **Fumier** (m.) : mélange d'excréments d'animaux servant d'engrais.
3. **Relent** (m.) : ici, trace.
4. **Greffon** (m.) : partie d'un végétal qu'on greffe sur un autre végétal pour obtenir de nouveaux spécimens.
5. **Tube** (m.) : chanson, disque à succès.

et ils ne tremperont [1] pas dans cette sale histoire. »

Nina :

« Moi je savais que ma sœur Suzy, qui a dix-huit ans et qui est junkie depuis trois ans, passait ses après-midi entiers dans la baignoire du premier étage à prendre des commandes parce qu'elle était devenue dealer.

— Et ton père ne s'en rendait pas compte ?

— Non. Enfin je le suppose ; en tout cas il faisait comme s'il ne le savait pas. »

UNE AUTRE FOIS la petite Emily a raconté une histoire qui s'était passée dans son patelin [2] de l'Ohio. Une bourgade de six mille habitants. Emily est minuscule, un petit pruneau. Avec des yeux noirs très doux et de longs cheveux sagement tressés.

« Pas loin de chez moi une gosse de douze ans se shootait. Ses parents ne le savaient pas. Un soir ils laissent leur bébé de un mois à la garde de la sœur pendant qu'ils vont au cinéma. Dès que les parents sont partis la petite prend sa dose. Elle s'est envolée, dans un « bad trip » et, dans son délire, dans son rêve, elle a ficelé le petit frère, l'a beurré, l'a salé, l'a poivré, l'a mis dans un grand plat et hop ! au four. Quand les parents sont rentrés ils ont trouvé un petit garçon de lait grillé. C'était dans tous les journaux de la région. Qu'est-ce qu'on a rigolé ! »

PENDANT la « période américaine » il m'arrivait souvent de m'accrocher ferme à l'immédiate réalité banale pour ne pas avoir le vertige. Je me rendais compte que j'étais profondément conditionnée. Non seulement en ce qui concerne la valeur morale des événements qui me touchaient : ils étaient bien ou mal, mais aussi en ce qui concerne mes jugements

1. **Tremper** : ici, participer.

2. **Patelin** (m., fam.) : village.

esthétiques.

En ce dernier domaine les peuples anglo-saxons sont plus sages et plus libres que nous. Il paraît qu'en Angleterre les gens s'habillent comme ils en ont envie. En Amérique, j'ai pu le constater, la liberté totale règne dans l'habillement et cela ne choque personne. J'ai vu à New York une jeune femme patauger [1] dans la neige fondue sale, pleine de sel, elle était vêtue d'une longue robe de soie mauve qui était maculée et mouillée jusqu'aux genoux. Aux pieds d'énormes godillots [2], sur le dos une grosse veste de montagne et sur la tête un petit chapeau cloche rouge en laine, fait au crochet avec un bord frisotté [3] et orné de fleurs. Personne ne la regardait faire. Moi j'ai pensé qu'elle sortait directement d'un asile de fous. Pourquoi ? Souvent ils « font » déguisés. Souvent on croise des obèses dans la rue, des gens vraiment difformes et monstrueux. Ce qui me gêne c'est qu'ils se comportent comme des gens normaux, ils sifflotent, ou se grattent le dos, ou s'arrêtent pour regarder les vitrines des magasins. Pourquoi est-ce que cela me choque ? Les passants, eux, ne sont pas gênés par l'aspect de leurs congénères [4]. Ce carcan esthétique ne semble pas exister pour eux.

Dans les vitrines des pâtissiers on voit des gâteaux extraordinaires en forme de piano à queue, de cœur de chaise Louis XV, rouges, ou violets, ou verts ornés de crème blanche avec des inscriptions sentimentales du genre : « Nous nous sommes fâchés hier mais, en mangeant ce gâteau, nous nous aimerons comme aux premiers jours. » Tout cela couvert de poussière. Ce sont des échantillons destinés à montrer aux clients ce que le pâtissier peut faire. Certaines vitrines sont délirantes, toujours pleines de poussière et exhibant des objets qui n'ont souvent rien à voir avec le commerce du magasin. Une collection

1. **Patauger** : marcher dans une eau boueuse.
2. **Godillot** (m., fam.) : gros soulier.
3. **Frisotté** : enroulé en petites boucles serrées.
4. **Congénère** (m.) : semblable.

de fers à cheval chez un coiffeur, des photos de gens obèses chez un cordonnier [1] maigre comme une arête [2] de poisson. L'imagination est plus libre. Cela permet à ceux qui ont du talent de trouver des formes et des expressions nouvelles. Pour les autres, cela leur permet d'étaler sans vergogne les goûts les plus délirants. En France, l'esthétisme est tellement dépourvu de liberté et d'invention que tout est esthétique jusqu'à l'ennui.

En ce qui concernait le comportement des Américains qui surpeuplaient la maison, je me sentais incapable de porter un jugement. Profondément, je n'approuvais pas ce laisser-aller, cette indifférence, cette inconsistance mais je ne manifestais rien.

Mes enfants en profitaient pour étaler leur initiation à l'Amérique, pour parader devant les copains, pour montrer aux Amerloques qu'ils en connaissaient un morceau. Tous leurs souvenirs de vacances remontaient à la surface et ils parlaient, racontaient. Ils connaissent la campagne, les fermes et les petites villes du nord-est des États-Unis. Ils s'y sont beaucoup baladés en stop. Nous y avons fait du camping.

L'histoire préférée de Grégoire :

« J'étais avec deux copains. On avait décidé d'aller en stop aux chutes du Niagara. Un soir on en avait marre de marcher. On avait pas trouvé une seule voiture de l'après-midi. Rien que des fermiers qui faisaient de petits trajets avec leurs trucks [3]. On n'était pas pressés et comme la nuit venait on pensait se coucher dans un champ. On avait nos sacs de couchage et un peu de bouffe [4]. On s'arrête dans une prairie. C'est alors qu'on voit arriver une bagnole délabrée [5] conduite par un vieux mec. Vraiment un vieux mec comme dans les livres de Faulkner. Il

1. **Cordonnier** (m.) : artisan qui répare les chaussures.
2. **Arête** (f.) : tige du squelette des poissons osseux.
3. **Truck** (m.) : chariot.
4. **Bouffe** (f., fam.) : nourriture.
5. **Bagnole délabrée** (fam.) : voiture en mauvais état.

nous fait venir près de son tacot [1] et nous demande ce qu'on fait. Nous on lui répond qu'on va en stop aux chutes du Niagara mais qu'on va coucher par ici parce que, pour le moment, on en a marre d'attendre des tires [2] qui ne viennent pas. Alors le vieux il sort un fusil de sa voiture et il déclare : « Si vous vous installez sur un champ du pays je vous flingue [3]. Allez, marchez devant, je vais vous faire sortir du territoire de la commune. » Tu parles qu'on lui obéit. On marche devant. Lui, derrière, au pas, le fusil d'une main et le volant de l'autre, qui nous gueulait après parce qu'on avait les cheveux longs et tout le baratin [4]. Je peux vous dire qu'on les avait à zéro. Excité comme il l'était il aurait aussi bien pu nous tirer dessus. Il aurait fait n'importe quoi. Ça allait pas dans sa tête à ce pagu-là. »

Et toute la bande des Amerloques de se mettre à raconter leurs mésaventures dans les campagnes de chez eux. Incroyable. *Easy rider*, ça existe vraiment.

L'histoire préférée de Charlotte : notre aventure à Pointe Escuminiac, un village de pêcheurs au Nouveau-Brunswick.

« Un bled [5] pas croyable, complètement paumé [6]. »

C'est vrai que c'était un endroit pas possible. Une quarantaine de maisons de bois, chacune avec son antenne de télé, de part et d'autre d'une route qui longeait l'océan. Une côte tondue [7] par le vent et les embruns [8]. Pas un arbre. Un paysage plat. Les habitations très éloignées les unes des autres, en chapelet [9], sur

1. **Tacot** (m., fam.) : vieille voiture.
2. **Tire** (f., fam.) : voiture.
3. **Flinguer** (fam.) : tirer avec une arme à feu.
4. **Baratin** (m., fam.) : discours abondant.
5. **Bled** (m.) : lieu, village isolé.
6. **Paumé** (fam.) : perdu.
7. **Tondu** : coupé à ras.
8. **Embruns** (m.) : ensemble de gouttelettes formé par les vagues qui se brisent.
9. **Chapelet** (m.) : rosaire, objet de dévotion formé de grains groupés par dizaines.

un kilomètre. Avant et après le « village », de la lande. Au bout de la route un phare, une plage absolument vide, jonchée d'épaves [1], et la mer à l'infini. La côte faisait un coude au pied du phare, une petite baie abritée. Les vagues étaient tentantes après une journée de voiture. On décide de camper là. L'impression qu'on est arrivé au bout du monde, que jamais aucun être humain n'a mis les pieds là, devant nous.

« On était partis de Gaspésie parce que l'eau était trop froide. On descendait vers le sud en cherchant un beau coin pour camper. Papa, je sais pas comment il s'arrange, il a le don d'aboutir dans des terrains vagues [2] ou des décharges municipales. Ce, jour-là c'était pas le cas mais le coin était vachement sinistre. Finalement on reste quand même parce qu'on était fatigués et puis l'eau était belle. Pour un soir. On monte la tente. On se baigne. On prépare le feu et on met le dîner en route. On avait la dent [3]. On était bien. C'était vachement sauvage. Maman a fait griller une énorme côte de bœuf. La nuit commençait à tomber quand on a vu arriver un truck plein de mecs. Des types entre quinze et trente-cinq ans, une bonne douzaine, avec des caisses de bière. Ils se sont installés à une cinquantaine de mètres, alors qu'il y avait des kilomètres de plage vide, comme s'ils ne nous voyaient pas. Ils ont commencé à boire. Puis le vent du soir s'est levé. Ils gueulaient des trucs qu'on comprenait pas. Ils ont allumé un grand feu avec des jerricans [4] d'essence qu'ils avaient amenés avec eux. Ça faisait des flammes énormes que le vent couchait sur le sable. Ça prenait une drôle de tournure pas rassurante. Papa a dit : « On va se coucher. C'est plus possible. On fera la vaisselle demain matin. Y'a qu'à l'empiler dans le panier. On le

1. **Jonché d'épaves** : parsemé, couvert par des objets abandonnés en mer ou rejetés sur le rivage.
2. **Terrain vague** (m.) : terrain vide de cultures et de constructions.
3. **Avoir la dent** (fam.) : avoir faim.
4. **Jerrican** (m.) : bidon contenant du carburant.

mettra à l'abri dans la dune. » On éteint notre feu. Pour aller à la tente il fallait faire une centaine de mètres. Quand les types ont vu qu'on partait ils sont venus vers nous. Ils ont fait une espèce de haie. Nous on avançait. Papa devant, maman derrière, Dorothée, nos deux copines et moi au milieu. Ils dégueulaient [1] sur notre passage. Ils disaient des cochonneries. On s'est engouffrés [2] dans la tente. On a fermé la fermeture éclair [3] jusqu'en bas. Papa a dit : « C'est la dernière fois que j'emmène des filles camper par là sans Grégoire. » Maman avait les jetons [4]. Les gars ont rappliqué [5] avec leur camion tous phares allumés. À l'intérieur de la tente on y voyait comme en plein jour. Jusqu'à l'aube ils ont continué à boire, à vomir, à crier. Et puis ils sont partis. Dès que le jour est venu on a commencé à déménager. Papa a organisé le départ : « Les filles allez faire la vaisselle qu'on a laissée hier soir dans la dune. Nous on démonte. » On a cherché le panier pendant une heure. On se rappelait plus exactement où on l'avait mis. Finalement [6] on a été bien obligé de se rendre compte qu'ils l'avaient volé. Je vous assure qu'on n'est pas près de retourner dans ce coin-là. »

LAISSER POURRIR. Je faisais une guerre de guérilla. J'attendais que la décomposition opère d'elle-même avant de passer à l'action. Je les regardais sans broncher [7] couper en deux les grandes couvertures, casser les chaises à force de se balancer dessus. Il n'y avait plus de verres, plus de draps plus de serviettes

1. **Dégueuler** (fam.) : vomir.
2. **S'engouffrer** : se précipiter dans un passage, dans une ouverture.
3. **Fermeture éclair** (f.) : fermeture à glissière couramment utilisée sur les pantalons ou les jupes.
4. **Avoir les jetons** (fam.) : avoir peur.
5. **Rappliquer** (fam.) : arriver.
6. **Finalement** : à la fin, pour finir.
7. **Sans broncher** : sans montrer d'opposition.

de toilette, tous les lavabos, baignoires, éviers [1], et autres bidets étaient bouchés. Les couverts partaient dans le vide-ordures [2] avec les déchets des repas. La vaisselle s'accumulait. Toutes les tasses étant sales ils buvaient dans des vases ou des pots de confitures. Je me moquais de tous ces objets perdus. Ce qui m'inquiétait, m'angoissait même, au point de me faire passer toutes mes nuits blanches [3], c'était de voir mes enfants là-dedans. Quelle serait leur réaction finalement ? Est-ce que j'avais raison d'agir de cette manière ? À la vérité il y avait des mois que j'en avais marre de la débilité. Mes discours ne servaient pas à grand-chose. Alors il me semblait que la meilleure manière de les purger de la débilité, c'était de les laisser aller jusqu'au bout de la débilité.

Seule Dorothée n'était pas entrée dans le circuit et ne cachait pas sa réprobation. Elle s'était débrouillée pour garder sa chambre et son autonomie. Je sais que son jeune âge y était pour quelque chose mais je crois aussi que si elle n'a jamais perdu pied [4] dans ce capharnaüm [5], si elle a toujours gardé une lucidité et une conduite stricte dans la tourmente, c'est à cause de la formation d'esprit que lui donnent les mathématiques modernes.

Il peut paraître absurde de prétendre cela et pourtant je suis certaine que c'est sur ce chemin qu'il faut chercher la clé de l'incroyable fermeté de raisonnement de cette enfant pendant cette période.

À la fin de son premier trimestre de sixième Dorothée se figurait très bien son univers. Elle savait que son prof de maths

1. **Évier** (m.) : bac où on lave la vaisselle dans une cuisine.
2. **Vide-ordures** (m.) : conduit dans lequel on peut jeter les ordures.
3. **Passer une nuit blanche** : ne pas dormir pendant la nuit.
4. **Perdre pied** : être emporté par quelque chose qu'on ne contrôle pas.
5. **Capharnaüm** (m.) : lieu qui renferme de nombreux objets en désordre.

faisait partie de l'ensemble des profs de sixième, qui appartenait à l'ensemble des profs du lycée, qui appartenait à l'ensemble des lycées, qui appartenait à l'ensemble Éducation nationale, qui appartenait à l'ensemble Gouvernement français, etc. Chaque ensemble englobant des sous-ensembles... Jusqu'à voir, en partant de sa petite personne, une vue d'ensemble logique du monde.

Les enfants de la génération de Dorothée auxquels on enseigne les véritables mathématiques modernes ne reçoivent plus du tout l'information de la même manière que nous.

Je me souviens d'un exercice de mathématiques que Dorothée avait à faire le premier mois de son entrée en sixième. C'était rédigé comme cela :

« Corriger les phrases suivantes lorsqu'elles comportent des erreurs :

« Le chiffre 2 345 est mal écrit.

« 57 est un naturel à deux chiffres.

« En comptant les élèves de ma classe j'ai trouvé le chiffre 24. »

J'ai relu trois fois ces phrases à l'affût d'un [1] de ces douloureux attrape-nigauds [2] dont étaient farcis nos problèmes de robinets.

« Il faut mettre un point entre le 2 et le 3 de 2 345.

— Non, tu peux l'écrire comme ça. Tu n'es pas obligée de mettre un point.

— Tu en es sûre ?

— Certaine. Le professeur nous l'a expliqué.

— Ah ! bon. Eh bien alors il n'y a pas de phrase fausse dans ton problème.

— Si, il y en a une.

— Laquelle ?

— Il n'y a pas vingt-quatre élèves dans la classe mais quarante-trois.

— Et tu crois que c'est ça la réponse ?

1. **À l'affût de** : en attendant, en guettant l'occasion de saisir.
2. **Attrape-nigaud** (m.) : procédé destiné à tromper les gens non prévenus.

— Certaine. »

Elle avait raison.

Dorothée est une excellente élève en mathématiques. Aujourd'hui elle passe en troisième et je suis certaine que les mathématiques modernes lui servent plus que n'importe lequel des enseignements qu'elle reçoit au lycée, pour s'insérer dans la réalité. Elle n'a que treize ans, elle ne s'intéresse pas à la politique mais elle sait à quoi sert la politique dans une vie nationale et internationale. Elle a vraiment conscience d'appartenir à un ensemble.

Pour elle les Amerloques ne s'inséraient dans aucun des ensembles ou sous-ensembles de son existence. Il fallait les rejeter purement et simplement.

Je l'ai prise dans un coin, un beau jour, et je lui ai expliqué que j'étais d'accord avec elle mais que je voulais laisser son frère et sa sœur aller jusqu'au bout. Que c'était une expérience qui pouvait mal tourner [1] et que je voulais qu'elle m'aide dans cette entreprise en cessant ses perpétuelles réflexions aigres-douces qui ne faisaient que relancer la balle.

Impossible de dormir à cause du bruit qui ne cessait ni jour ni nuit. Quand l'électrophone ne marchait pas il y en avait toujours un pour jouer de la guitare ou du banjo, quand ce n'était pas des tablas. Ils se faisaient sans arrêt du thé ou du café.

Est-ce que j'avais perdu pied ? Est-ce que je n'étais pas folle de laisser mes enfants vivre cette vie ?

Tout était faux là-dedans, et compliqué. Faux sentiments, fausse pauvreté, faux détachement.

Toutes les nuits je remettais en cause mes décisions, la direction que j'avais prise un jour, il y a longtemps, de refuser la bourgeoisie, c'est-à-dire le monde des privilèges, des classes, des différenciations entre les riches et les pauvres, les cultivés et les ignorants. C'était pour cela que la porte restait ouverte. Cette attitude n'était-elle au fond, et encore, qu'un règlement de

1. **Mal tourner** : ici, avoir des conséquences négatives.

comptes de plus entre ma famille et moi ? Et dans ces conditions est-ce que je n'entraînais pas mes enfants dans ce règlement de comptes qui ne les concernait pas ? Est-ce que je ne les attirais pas dans une autre bourgeoisie, une autre religion, différentes par la forme uniquement de celles que je détestais ? Car cette bande de hippies n'était ni des maoïstes, ni des gauchistes, ni des communistes, ni des chrétiens, ni des idéalistes d'aucune manière, ni des voyous [1] ni des voleurs. Ils étaient des adolescents malheureux, paumés. Certains d'entre eux, des Américains, allaient mendier dans la rue pour s'amuser. Ils croyaient qu'ils faisaient acte d'humilité. Ils confondaient ouvriers et débiles ! Exactement comme mes parents.

Le manque de sommeil me faisait perdre la tête. Je prenais ma voiture, j'allais me garer près du Champ-de-Mars, je m'assoupissais un peu et surtout j'essayais de me reconstruire, je recherchais mes racines et mes sources, c'est-à-dire des réflexions sur des anecdotes que j'avais vécues, des conclusions de mes expériences. Tout ce que je savais revenait, tout ce que j'avais vu, entendu, connu, lu.

Pourquoi est-ce que l'enfance et l'adolescence restent plus proches des gens que des périodes de leur vie plus récentes ?

Sur les terres de ma grand-mère, en Algérie, pour clôturer [2] les vendanges, ma famille organisait la grande fête des ouvriers.

Mes parents et leurs invités allaient faire un tour de piste parmi les vendangeurs. Après les embrassades, les accolades [3], les inspections, les présentations d'enfants, les palabres [4], les rires de gorge et les attendrissements, nous remontions dans les pièces de

1. **Voyou** (m.) : délinquant.
2. **Clôturer** : ici, terminer.
3. **Accolade** (f.) : embrassade.
4. **Palabres** (f.) : discours.

réception de la ferme éclairées *a giorno*. Les domestiques avaient ouvert les baies vitrées et dressé un buffet sur la table de la salle à manger. Pour commencer on servait du champagne et pour rire, du vin nouveau ; pas encore vin et pas encore piquette [1].

Dehors les ouvriers excités, ils sont plusieurs centaines, préparent la fête dont ils sont fiers car elle a la réputation d'être la plus belle de la région. Des va-et-vient, des cris jusqu'à ce que la nuit tombe.

Le spectacle commence. Les feux crépitent [2] à cause des vieilles souches [3] de vigne qui les alimentent. Les tam-tams et les étincelles excitent la foule des ouvriers qui se mettent à danser en groupe jusqu'à ce que l'inspiration pousse l'un d'eux en avant, le fasse se détacher des autres, le projette juste sous nos fenêtres. Il danse la tête en l'air pour nous honorer, la bouche grande ouverte par le rire et le plaisir de danser. À grands coups de reins il bat la mesure, il piétine le rythme sec qui devient trépidation. Les ouvriers tapent dans leurs mains.

J'ai été chercher un tabouret [4] pour mieux voir. La famille s'accoude [5] aux fenêtres, les invités aussi. Aoued a apporté des caisses pleines de tabac à rouler, de papier à cigarettes, de paquets de Bastos, de petits peignes, de canifs [6] de pacotille [7], de brosses à dents, de tubes de pâte dentifrice, de miroirs ronds aux dos de celluloïd rose ou vert, ou bleu, ou rouge. On jette cela aux vendangeurs et une double ration pour le danseur.

La musique ne s'arrête jamais. Parfois elle s'atténue, elle devient plus douce mais elle garde le rythme. Au danseur ont

1. **Piquette** (f.) : boisson obtenue par la fermentation de marcs de raisin frais avec de l'eau sans sucre.
2. **Crépiter** : faire entendre une succession de bruits secs.
3. **Souche** (f.) : pied de la plante.
4. **Tabouret** (m.) : siège sans bras ni dossier.
5. **S'accouder** : s'appuyer sur les coudes.
6. **Canif** (m.) : petit couteau de poche.
7. **Pacotille** (f.) : marchandises de mauvaise qualité.

succédé des chanteurs puis d'autres danseurs. Un excité sort des brandons [1] du feu, les met dans sa bouche et les ressort. Tout le monde hurle de rire ou de crainte à le voir faire. Ceux qui n'ont pas eu leur paquet de tabac ou leur peigne le font comprendre par gestes au milieu du tohu-bohu [2]. Alors on leur lance ce qu'ils demandent.

Ma mère, qui est venue près de moi, m'explique à qui il faut surtout donner : aux plus pauvres. Elle connaît parfaitement bien toutes les familles et elle sait lesquelles sont les plus misérables, les plus laborieuses, les plus méritantes. Elle a en tête la composition de chaque gourbi [3], de chaque raïma [4], de chaque douar [5] et elle m'indique dans la foule, ivre de joie et de rythme, celui-là qui a perdu sa femme, cet autre, tout jeune, qui a perdu sa mère, encore un autre qui a perdu deux doigts l'année dernière à la cave. Elle me montre aussi les plus sales : une famille squelettique dont les enfants ont des têtes de rats et de longs membres raides qui se plient, aux coudes et aux genoux, à angle droit, comme des pattes de sauterelles [6]. À peine ma mère les voit-elle arriver pour les vendanges qu'elle se précipite sur eux pour les isoler des autres. Elle les étrille [7] avec une brosse en chiendent [8], elle s'acharne sur leurs plaques de gale [9], les rase, les asperge [10] de soufre.

« Lance-leur des savonnettes, des brosses à dents et du dentifrice. Il faut les éduquer. Ils doivent apprendre à être

1. **Brandon** (m.) : torche de paille.
2. **Tohu-bohu** (m.) : désordre, confusion.
3. **Gourbi** (m.) : habitation des Arabes. Aujourd'hui, sens péjoratif.
4. **Raïma** : tente arabe.
5. **Douar** (m.) : division administrative rurale en Afrique du Nord.
6. **Sauterelle** (f.) : insecte sauteur.
7. **Étriller** : frotter.
8. **Chiendent** (m.) : racine séchée d'une herbe.
9. **Gale** (f.) : maladie de la peau.
10. **Asperger** : mouiller.

propres. C'est à cause de la saleté qu'ils sont si maigres et toujours malades. Je n'arrive jamais à voir leurs femmes. C'est par elles qu'il faudrait commencer. Un jour j'irai jusqu'à leur raïma. Il faut un jour entier à dos de mulet pour y aller. Quand tu seras plus grande tu m'aideras. C'est notre rôle de leur apprendre à se laver. Comment veux-tu qu'ils travaillent correctement dans l'état de saleté où ils sont ! »

Je l'écoutais avec attention et admiration. Sa bonté, sa charité me bouleversaient. À ma fenêtre, contemplant de tous mes yeux la fête des ouvriers à laquelle je mourais d'envie de me mêler parce que je raffolais [1] de leurs danses et de leurs musiques, je prenais conscience que ma place n'était pas parmi eux en bas, mais ici, en haut, à leur jeter des cadeaux. Parce qu'ils étaient pauvres et que j'étais riche, et que le rôle des bons riches est de partager avec leurs serviteurs, ou leurs subordonnés.

À cela on ne pouvait rien changer. C'était la fatalité. Je ne connaissais pas les racines de la richesse. (Une bénédiction de Dieu, peut-être, pour récompenser les bonnes actions ?) Par contre je connaissais mieux celles de la pauvreté. Pour moi l'aisance et la respectabilité se mêlaient. On ne peut pas être respectable dans un taudis [2], on ne peut pas être respectable dans des haillons [3], on ne peut pas être respectable sans connaissances, on ne peut pas être respectable sans hygiène, on ne peut pas être respectable sans posséder sur le bout des doigts toutes les règles de la bienséance, tous les principes de la bonne société. Donc les pauvres sont pauvres parce qu'ils travaillent mal à l'école, parce qu'ils ne se lavent pas, parce qu'ils vivent les uns sur les autres sans pudeur, parce qu'ils ne savent pas se tenir. En bref, les pauvres sont pitoyables mais ils ne sont pas respectables.

Et les pauvres que je côtoyais [4] quotidiennement, ceux que ma

1. **Raffoler** : aimer beaucoup.
2. **Taudis** (m.) : logement misérable.
3. **Haillon** (m.) : vieux lambeau d'étoffe utilisé comme vêtement.
4. **Côtoyer** : ici, rencontrer.

mère soignait avec tant de dévouement et d'abnégation, étaient, de surcroît [1], des Arabes. Race oubliée du monde, abandonnée de Dieu, que les Français avaient trouvés errant comme des hordes de chiens sauvages sur des terres incultes et épuisées. Ils n'avaient même pas le courage de s'acharner sur un lieu pour le faire fructifier, ils ne faisaient qu'aller de point d'eau en point d'eau, épuisant les ressources du pays l'une après l'autre.

La tâche [2], avec eux, était encore plus difficile qu'avec les pauvres normaux auxquels on pouvait parler de la Vierge, de Jésus, de Joseph, de Caïn et d'Abel, de saint François d'Assise, de la petite sœur Thérèse de l'Enfant Jésus, de Bernadette Soubirous. De tous ces êtres nés dans la pauvreté ou qui avaient choisi la pauvreté et qui étaient maintenant au paradis. Qui avaient droit maintenant à des statues au pied desquelles on mettait des bouquets de lin blanc ou d'œillets roses, ou de roses jaunes et rouges, ou de lis. Ils avaient une auréole d'or au-dessus de leur tête et de belles mains soignées jointes pour remercier le Seigneur. Ils avaient des regards d'amour suave. Ils avaient accédé au bonheur et à la gloire. Pour les pauvres ordinaires ils étaient une consolation, un espoir. Car, avec l'amour de Dieu, si on veut s'en sortir on s'en sort.

Mais avec les Arabes, leurs superstitions risibles, leurs croyances folles, il n'y avait qu'une chose à faire, faute de [3] références : servir soi-même d'exemple, être un saint ou une sainte et les amener par notre conduite vers le dieu qui les aiderait et les comprendrait enfin, qui résoudrait tous leurs problèmes. Mission.

À douze ans je connaissais parfaitement bien la hiérarchie du monde. Dieu par-dessus tout : infiniment bon, infiniment aimable. Puis les riches ; ils allaient à la queue leu leu [4], en tête

1. **De surcroît** : en plus.
2. **Tâche** (f.) : devoir.
3. **Faute de** : à cause du manque de.
4. **À la queue leu leu** : l'un derrière l'autre.

les aristocrates puis les gros bourgeois puis les petits bourgeois puis les commerçants. Même s'ils étaient plus riches que les aristocrates, les commerçants étaient moins bien qu'eux parce qu'ils ne connaissaient pas aussi bien les vieilles règles, les traditions, la beauté des gestes qui ont de la classe. Après les riches venaient les pauvres. Les pauvres Blancs d'abord ; les Français de France étant mieux que les Espagnols ou les Italiens. Enfin, en bas de l'échelle, les Arabes, sans distinction véritable. Bien qu'on distingue parfois certains Arabes de grande tente auxquels on trouve de l'allure avec leurs chevaux merveilleusement harnachés [1], leurs immenses burnous [2], leurs bottes brodées. À la ferme mes parents en recevaient quelques-uns.

Secourir les Arabes faisait partie de mes pensées autant que d'imaginer la prochaine baignade ou la partie de cache-cache [3] qu'on organisera demain, dans la petite forêt.

À l'état de bon riche est lié obligatoirement un certain ennui, une certaine gravité. C'est pourquoi je me sens coupable, là-haut à ma fenêtre, d'avoir envie de me trémousser [4]. Il y a quelque chose de mauvais en moi. Ma mère disait en les regardant danser frénétiquement : « Il est tard. J'irais bien dormir. Enfin, chacun sa croix. » Moi, je ne sentais pas le poids de cette croix et j'en avais honte.

L'HEURE de me coucher était passée depuis bien longtemps quand le plus jeune vendangeur est venu danser sous ma fenêtre. C'était un enfant de douze ans, comme moi. Assez petit et malingre [5] mais tous ses mouvements exprimaient la

1. **Harnacher** : mettre le harnais (équipement d'un cheval).
2. **Burnous** (m.) : manteau de laine à capuchon et sans manches que portent les Arabes.
3. **Cache-cache** : jeu où l'on se cache.
4. **Se trémousser** : s'agiter.
5. **Malingre** : faible.

volonté de vivre, de gagner. Il avait une grande tignasse [1] de cheveux noirs et frisés, sauvages. Il s'était confectionné avec des branches de vigne une couronne et un pagne [2] qui dissimulaient les courts haillons crasseux qui lui servaient de culotte.

Il dansait bien.

Au cours des vendanges on avait plusieurs fois parlé de lui autour de la table familiale. Il était paraît-il courageux, drôle et travailleur. Le soir il rentrait avec les hommes, debout dans sa pastière cahotante [3], agrippé aux rebords gluants [4] de jus de raisin, fier d'être un ouvrier. Il roulait une cigarette puis il se pavanait [5], mégot au bec [6], paradant les reins cambrés, soufflant une grosse fumée, sautillant parmi les groupes des vendangeurs accroupis ou allongés qui se reposaient de leur journée de travail, infatigable.

Ce soir encore, avec ses ornements de vigne, il était déchaîné. Les petits miroirs de celluloïd l'attiraient surtout. Il en voulait beaucoup. On lui en avait jeté deux ou trois mais il en voulait encore. Il se constituait un trésor qu'il emmènerait vers son douar, dans une garrigue pelée [7].

« Kader prétend qu'il n'a rien mangé que du raisin pendant toutes les vendanges. Il a voulu garder sa paie entière pour la ramener chez lui. »

Il a reconnu en moi une complice. À cause de mon âge et aussi à cause de mes cheveux blonds, c'est sûr. Ma mère dit toujours que les Arabes raffolent de la blondeur. Il se place juste au-dessous de moi, les bras tendus, le visage dressé, tiré en arrière pour mieux se montrer. Il scande le rythme avec ses reins.

1. **Tignasse** (f.) : chevelure mal peignée.
2. **Pagne** (m.) : vêtement primitif qu'on ajuste autour des reins.
3. **Cahotant** : secoué par des cahots.
4. **Rebords gluants** : bords visqueux.
5. **Se pavaner** : marcher avec orgueil.
6. **Mégot au bec** : avec une cigarette dans la bouche.
7. **Pelé** : dépouillé.

Ses pieds ne bougent pas, ou presque pas, il piétine sur place mais il suit le tam-tam avec son bassin et, de là où je suis, je vois les branches de vigne qui l'habillent aller d'avant en arrière brusquement, d'une façon syncopée.

Comme il est drôle. Je lui jette un miroir. Il en veut un autre. De ses deux bras il me fait signe : il les ramène vers lui à intervalles réguliers, en dansant : « Encore, encore, donne. » Les autres ont vu notre jeu et s'en emparent [1]. Ils claquent leurs mains en cadence et inventent une chanson. « La Demoiselle est blonde, elle a des miroirs. La Demoiselle est blonde, elle aime danser. Laroulila, laroulila, la Demoiselle, la Demoiselle, la Demoiselle a des miroirs. » Je m'amuse comme une folle. J'ai oublié ma retenue [2]. Dans la maison ils n'ont pas remarqué l'incident, ils parlent entre eux, ils en ont assez de ces divertissements primitifs, ils sont indifférents et las [3]. Moi je jette des miroirs de temps en temps, en faisant la coquette [4], en ayant l'air de ne plus en avoir et puis d'en retrouver. Le petit vendangeur a des yeux qui brillent d'amusement, de plaisir.

Et tout à coup le voilà par terre. Il est impayable, c'est un clown. Qu'est-ce qu'il va inventer pour faire rire les autres ? D'abord il est allongé, comme évanoui, inerte. Puis il se dresse sur ses talons et ses épaules. Qu'est-ce que c'est que cette invention ? Son corps est secoué de frissons courts et violents et reste arc-bouté [5]. Subitement il tremble, il est secoué par un vent violent. Sa parure de vigne se déchiquette [6], se détache et je vois, dans les chiffons noirâtres qu'il a autour du ventre, son sexe brun de petit garçon, une masse qui tremble comme le reste de son corps, faite de chairs étranges qui ne ressemblent à rien de ma

1. **S'emparer** : prendre possession.
2. **Retenue** (f.) : discrétion, réserve.
3. **Las** : fatigué.
4. **Coquette** (f.) : femme qui cherche à plaire aux hommes.
5. **Arc-bouté** : ayant la forme d'un arc, qui s'appuie sur une partie du corps.
6. **Se déchiqueter** : se déchirer en petits morceaux.

propre chair, des bouts de tripes sèches, des bouts de quelque chose de pas beau et de fascinant, ça ballotte [1], ça a une vie indépendante de celle des cuisses.

Mais il est fou, on ne fait pas ça, qu'est-ce qui lui prend ! Voilà, c'est toujours comme ça avec les ouvriers. Ils ne savent pas s'arrêter. On s'amusait bien, c'était drôle, il dansait, je lui lançais des miroirs. Tout le monde riait. Maintenant, s'il continue un de mes oncles va le voir et va le faire chasser et je serai punie. On ne peut pas s'amuser avec eux, ma mère a raison.

Alors j'ai vu qu'il avait la bouche grande ouverte, que sa langue en pendait au milieu d'un flot de salive blanche épaisse comme du coton.

Mais c'est qu'il est malade mon copain !

Je me penche, je me penche. Mes cheveux pendent devant moi. Je sens le rebord de la fenêtre qui enfonce mon thorax. J'ai les mains pleines de miroirs « Tiens, je te les jette, tous. Je te les donnerai tous. » Ils tombent autour de lui et sur lui mais il ne les voit pas. On dirait qu'il ne s'en rend pas compte. Il continue à être agité de grands spasmes et de tremblements. Ses talons sont blessés à force de soutenir l'arc de son corps.

Mais c'est qu'il est en train de crever [2] comme un chien le petit vendangeur ! Il va crever si on ne lui fait rien.

« Aoued, Kader, il y a le petit vendangeur qui est en train de mourir ! »

On m'a saisie par un bras et on m'a fait sortir du salon. Ma mère est près de moi.

« Tu es folle de veiller si tard !

— Mais qu'est-ce qu'il a le petit vendangeur, dites maman ?

— Il fait l'imbécile comme d'habitude. Je te l'ai pourtant dit qu'il ne fallait pas s'amuser avec les ouvriers. Tu vois où ça te mène. Tu es encore debout à cette heure. C'est une honte.

— Est-ce qu'il est malade le petit vendangeur ?

1. **Ballotter** : agiter.
2. **Crever** : mourir.

— Pas du tout. Il s'amuse à des jeux d'Arabes. »

Le matin qui a suivi la fête des vendanges était un matin ordinaire. Un peu plus paresseux peut-être parce que tout le monde avait veillé très tard.

Pas un mot du petit vendangeur dans la maison.

Il a fallu que j'attende jusqu'à la fin de la matinée, alors que j'étais assise au bord du bassin les pieds battant l'eau claire pour apprendre de la bouche des autres enfants que le petit vendangeur était mort hier soir. Mort, et déjà enterré au petit jour. Dans un trou, là-bas, de l'autre côté de la forêt, là où les ouvriers enterrent leurs enfants et leurs parents, dans un coin de terre stérile. Une grosse pierre dressée à l'endroit de la tête, là où on a allongé le cadavre, face à La Mecque. On pourrait croire que c'est un champ de pierraille [1] le cimetière de ces morts.

FINALEMENT, la situation a été mûre. Je l'ai senti, un jour en rentrant, à une certaine maussaderie [2] de Grégoire, à une mauvaise humeur de Charlotte parce qu'elle ne retrouvait plus ses chaussures préférées.

« Ils exagèrent, ils piquent [3] toutes mes affaires. Mais eux, pour leur prendre quelque chose, il faut se lever de bonne heure. »

Alors je suis passée à l'attaque. D'abord avec la drogue.

« Vous pouvez faire ce que vous voulez sauf vous camer. Je ne veux pas un gramme d'aucune drogue ici. »

Puis, au lieu de continuer à rester passive, j'ai commencé à leur poser des questions. J'essayais de leur faire définir leurs positions. « Où allez-vous ? » « Pourquoi vivez-vous comme cela ? » « Qu'aimez-vous ? » « Avez-vous une position politique ? »

Ils ne savaient pas.

Au départ, pour tous, sans exception, il y avait un dégoût

1. **Pierraille** (f.) : petites pierres.

2. **Maussaderie** (f.) : mauvaise humeur.

3. **Piquer** (fam.) : voler.

profond de leur milieu familial. Pas de leurs parents eux-mêmes mais du cadre dans lequel ils vivaient. Ils n'étaient pour rien, ils étaient contre tout.

J'ai exigé qu'on ouvre les fenêtres, qu'on fasse la vaisselle, qu'on range, qu'on nettoie, qu'on lave.

Ça n'a pas traîné. Ça a même été incroyablement vite. Un matin je suis partie et dans la soirée, quand je suis revenue, il n'y avait plus personne.

Partie la bande des Amerloques. Vers quels hôpitaux ? Quelles folies ? Quels désespoirs ?

Moi qui m'étais juré, dans mon enfance, à cause du petit vendangeur, d'aider tous les enfants du monde, de faire en sorte qu'il n'y ait jamais des enfants en haut à jeter des petits miroirs en pâture [1] aux enfants d'en bas, voilà que, trente ans plus tard, je foutais à la porte des enfants en mauvaise santé et malheureux. Alors quoi ? Sacrifiés à mes propres enfants ? Et pourquoi ?

— Pourquoi ?

Je crois que c'est parce que les Amerloques et ceux qui leur ressemblent singent [2] la misère. Cela me paraît être d'un snobisme insupportable. Même s'ils sont sincères, même s'ils ne sont pas conscients du profond scandale que constitue leur attitude vis-à-vis de ceux qui sont pauvres de naissance.

Le fait de se rebeller contre leur milieu familial les amène à trouver beau et bon ce qui est à l'opposé. Les bourgeois sont minables [3], alors les misérables sont chouettes [4]. Nous allons donc nous mettre à jouer les misérables avec les sous de papa. Comme si la misère n'était qu'une question de forme !

« Et pourquoi la drogue ?

— Et pourquoi pas ?

— Elle empêche de participer à la vie.

1. **En pâture** : comme nourriture.
2. **Singer** : imiter.
3. **Minable** : médiocre.
4. **Chouette** : digne d'admiration.

— Ça les fait chier [1] la vie.

— La vie de leurs parents ! Alors ils s'habillent en guenilles [2], cultivent la crasse, encensent [3] le prolétariat et se cament. Pourquoi ?

— Parce que c'est des cons.

— Ça ne résout rien de dire ça. Pourquoi ?

— Ils n'y voient pas plus loin que le bout de leur nez. Papa a une auto nous on en aura pas. Papa a une cravate nous on en aura pas. Maman a des chaussures à talons, nous on marchera pieds nus. Papa et maman sont riches, nous on sera pauvres.

— Papa est un capitaliste et eux ils sont quoi ?

— Eux ils sont des camés.

— La came en face du dollar ?

— Oui.

— La came c'est encore le dollar. Alors ils sont dans un cul-de-sac [4] ? »

1. **Ça les fait chier** : ça les dégoûte, ils ne la supportent pas.
2. **En guenilles** : avec des vêtements en lambeaux.
3. **Encenser** : louer, honorer.
4. **Cul-de-sac** (m.) : rue sans issue.

Découvrons ensemble ...

... quelques opinions de la narratrice à propos des Américains

- Que dit-elle à propos des jeunes Américains ?
- Est-ce que la présence de ces jeunes chez elle est particulièrement significative pour ses enfants ? Pourquoi ?

... des souvenirs de vacances aux USA

- Lisez attentivement « l'histoire préférée de Grégoire » et « l'histoire préférée de Charlotte » de façon à pouvoir décrire :
  - où chacune de ces histoires se déroule ;
  - l'événement principal qui fait prendre conscience aux enfants de la narratrice de certains aspects de la vie aux USA.

... comment se déroule la vie avec les « Amerloques »

- « Alors il me semblait que la meilleure manière de les purger de la débilité, c'était de les laisser aller jusqu'au bout de la débilité. » Commentez cette phrase en tenant compte des points suivants :
  - le comportement des Américains chez la narratrice ;
  - l'attitude de celle-ci vis-à-vis de ce comportement.
- Comment réagit Dorothée à la présence des Américains ? Pourquoi ?
- Pour quelle raison la narratrice décide-t-elle de les « flanquer à la porte » ?

... des souvenirs d'Algérie

- Résumez l'épisode de la fête des vendangeurs en utilisant entre 50 et 60 mots.
- Est-ce que la narratrice aimait les danses arabes ? Pourquoi est-ce qu'elle ne pouvait pas y participer ?
- « La tâche, avec eux, était encore plus difficile qu'avec les pauvres normaux auxquels on pouvait parler de la Vierge, de Jésus. » Expliquez cette affirmation en relevant l'attitude de la narratrice envers les Arabes.
- « Moi qui m'étais juré, dans mon enfance, à cause du petit vendangeur, d'aider tous les enfants du monde, de faire en sorte qu'il n'y ait jamais des enfants en haut à jeter des petits miroirs en pâture aux enfants d'en bas. » À partir de cette affirmation, dites pourquoi l'épisode du petit vendangeur est très significatif dans l'évolution de la conscience sociale de la narratrice.

Analysons le récit

- Dites en employant d'autres mots ce que signifie chacune des phrases suivantes :
  - *Il me semble que les vieux pays en ont ras le bol des anciennes religions.*
  - [...] *en tout cas il faisait comme s'il ne le savait pas.*
  - *Pas loin de chez moi un gosse de 12 ans se shootait.*
  - *Un soir on on avait marre de marcher.*
  - *Je crois que c'est parce que les Amerloques et ceux qui leur ressemblent singent la misère.*
- Retrouvez les cinq subdivisions qui composent cette huitième partie du roman et donnez-leur un titre.

Discutons ensemble

1. « L'intrusion de l'Amérique ici était un événement considérable car les jeunes européens sont attirés par ce qui vient du nouveau continent. » Réfléchissez sur cette considération et dites si, à votre avis, l'Amérique représente encore aujourd'hui un modèle pour les jeunes européens.
2. Est-ce que vous êtes d'accord avec la décision de la narratrice de permettre aux Amerloques de faire chez elle ce qu'ils veulent ou bien pensez-vous qu'elle aurait dû s'opposer immédiatement à leur « débilité » ? Justifiez votre réponse.
3. « En bref, les pauvres sont pitoyables mais ils ne sont pas respectables. » Que pensez-vous de cette affirmation ?
   Exprimez votre opinion en donnant des exemples à propos de la façon dont la pauvreté est considérée dans la société actuelle.

Mots à retenir pour ...

... raconter ses vacances

Partir Voyager Se reposer
Aller voir Campagne / mer / montagne
Marcher Bronzer Plage Promenade
Sortir Monter la tente Rentrer

- Racontez ce que vous avez fait pendant vos dernières vacances dans une lettre adressée à votre meilleur/e ami/e.

Après le départ des Amerloques ils avaient tous beaucoup changé. Ils étaient devenus plus conscients, plus avertis. Je suis certaine qu'ils y ont vu plus clair, qu'ils ont découvert certains mécanismes qui poussent les adolescents à être ce qu'ils sont.

La récupération des jeunes par le système se fait de la façon la plus humiliante pour eux, la plus perfide, la plus sournoise [1] et la plus désaxante [2], cela leur paraissait évident.

En 1969 le premier ministre a déclaré : « Notre société nouvelle aura le visage de la jeunesse. »

On leur vend des produits fabriqués spécialement pour eux. On peut même aller, pour les appâter [3], jusqu'à leur donner quasiment ces produits : à la sortie de quelques lycées, il y a trois ans, des adultes vendaient pour un franc des cigarettes de marijuana. De quoi satisfaire à bon marché une curiosité qui en a certainement entraîné quelques-uns dans l'univers des camés. De quoi ouvrir le marché de la drogue sur la masse des jeunes.

Il y a quelques semaines Dorothée est revenue avec, dans son cartable, *Gigi* de Colette. Sur la couverture on pouvait voir une jolie jeune fille accroupie sur un divan, elle se suçait le pouce d'un air coquin [4]... C'est la compagnie Elf, qui est plus ou moins étatique [5], je crois, qui distribuait gratuitement ce bouquin à la sortie du lycée.

L'arme de choc de la publicité est la jeunesse. Si on ne vend pas directement aux jeunes, on passe par leur chemin pour faire acheter les parents. « La cigarette qui fait jeune », « Le détergent qui garde vos mains jeunes », « La boisson des jeunes », « Des voitures jeunes ». La femme qui pose pour la publicité de Tampax tient un enfant par chacune de ses mains. On dit « jeune » pour

1. **Sournois** : hypocrite.
2. **Désaxant** : déséquilibrant.
3. **Appâter** : attirer.
4. **Coquin** : malicieux.
5. **Étatique** : qui concerne l'État.

dire moderne. « Jeune » c'est le Sésame qui fait ouvrir les portefeuilles et les porte-monnaie.

On crée chez les jeunes des besoins qui permettent au système de satisfaire les siens. C'est le piège [1]. C'est le merlan [2] qui se mord la queue. On en arrive à l'écartèlement : on ferait bien la révolution mais on veut aussi de la musique à gogo [3], de la vitesse, des électrophones, des motos, du film, des Carambars [4] et quelques joints.

Ils sont déchirés par cette ambiguïté, ils enragent, ils pédalent dans la vaseline [5]. La moindre de leurs contestations comprend en elle-même, du fait qu'ils font de la consommation de luxe, une réplique qui les laisse impuissants et muets.

Dès l'entrée dans l'adolescence ils sont conscients de l'impérialisme économique et culturel qui les mène par le bout du nez. Ils sont trop peu mûrs pour trouver une solution.

AVANT le déjeuner Cécile discute ferme dans la cuisine avec des copains et moi.

« Oui, la section AB2 c'est une connerie. On nous fait faire de l'économie d'une façon tellement embêtante qu'on sait même pas ce qu'on apprend et à quoi ça sert.

— L'économie c'est important, ça fait et défait les régimes.

— D'accord, mais on nous dit pas ça. On nous fait des cours sur la gestion des entreprises. Nous on s'en fout de la gestion des entreprises.

— Alors tu t'en fous de l'économie si tu te fous de ça.

— Ben non, ben oui. Ben moi j'ai dix-sept ans. Comment vous

1. **Piège** (m.) : dispositif qui attire et prend les animaux.
2. **Merlan** (m.) : type de poisson.
3. **À gogo** : abondamment.
4. **Carambar** : friandise.
5. **Pédaler dans la vaseline** : se sentir perdu.

voulez que je sache si ça m'intéresse vraiment l'économie ?

— Faut prendre tes responsabilités. Quand tu es entrée dans cette section tu savais que tu ferais de l'économie. Fallait pas accepter. Tu dois prendre tes responsabilités.

— Toi tu es marrante, tiens. Maintenant on dit aux enfants : « Prenez vos responsabilités. » Les adultes ils sont pas capables d'en prendre et nous il faut qu'on en prenne.

— Il y a quatre ans on t'aurait jamais dit ça. Et puis les jeunes ont fait trembler le système sur sa base alors on les a écoutés. En ce moment vous laissez tomber, vous n'allez pas jusqu'au bout. Vous ne vous rendez pas compte du pouvoir que vous pouvez avoir. Vous ne faites plus rien dans les lycées cette année.

— T'es marrante, les meneurs [1] ont été mis à la porte.

— Il devrait y avoir une autre vague et puis encore une autre. S'il n'y en a pas c'est que vous êtes récupérés ou que vous n'êtes pas convaincus, c'est que vous ne désirez pas profondément tout chambouler [2].

— Non, c'est vrai, moi je veux pas une révolution brutale.

— Alors qu'est-ce que tu veux ? De petites réformes qui conviendraient à tes petits besoins ? Ça va pas comme ça. C'est tout ou rien. C'est une mentalité qui change totalement ou la vieille mentalité qui reste.

— C'est trop grave pour nous. On peut pas décider de choses pareilles. On est trop jeunes.

— Tu es bien capable de prendre tes responsabilités en prenant tes pilules. Parce que tu es sûre que tu ne veux pas avoir d'enfants dans les conditions où tu vis aujourd'hui et tu es sûre que tu veux faire l'amour. Mais tu ne veux pas prendre de responsabilités en ce qui concerne ton instruction, ta formation. Tu fais des caprices quoi. Tu penses : « Moi je suis une révolutionnaire parce que je fais ce qui me plaît. » C'est le

1. **Meneur** (m.) : personne qui, par son ascendant, prend la tête d'un groupe.

2. **Chambouler** (fam.) : bouleverser.

contraire de la révolution. »

Ils fuient l'engagement politique.

« Comment veux-tu que nous adhérions à un parti, nous ne savons rien.

— Je suis trop jeune pour faire un choix.

— Le baratin [1] des JC [2] ! On dirait qu'ils nous appâtent comme des poissons. »

Il y a trois ou quatre jeunes gauchistes, qui passent à la maison de temps en temps, dans la soirée. Ce sont de jeunes ouvriers ou des étudiants devenus ouvriers. Ils militent dur. Je ne sais ni leurs noms ni leurs prénoms.

Les enfants les détestent. Dès qu'ils en voient apparaître un, c'est le sauve-qui-peut. Ils se calfeutrent [3] dans les chambres. Ceux qui sont coincés [4] dans le salon y restent. Ils prennent un air indifférent pendant que les autres parlent, ils regardent voler les mouches. Après leur départ :

« Mais qu'est-ce que tu as avec ces mecs ? Pourquoi tu les aimes comme ça ? Ils ne viennent que pour te soutirer [5] du fric.

— J'aime leur cause et puis je les aime parce qu'ils sont vivants, ils ont un but. Je n'aime pas la débilité, le « ras le bol » amolli [6]. Si on n'aime pas la société on lui tourne le dos mais on ne reste pas en face à la contempler et à faire des commentaires sur sa débilité. C'est vraiment lui donner trop d'importance.

— Arrête ton char ! Nous, la révolution, on n'y croit pas. T'as qu'à voir les Russes ce qu'ils sont devenus et même Mao qui serre la pince [7] à Nixon. Quant à 1789 n'en parlons pas ! T'as qu'à voir où on en est en France : « Tous les hommes sont égaux en

1. **Baratin** (m., fam.) : discours abondant.
2. **JC** : Jeunesse Communiste.
3. **Se calfeutrer** : s'enfermer.
4. **Coincé** : bloqué, immobilisé.
5. **Soutirer** : escroquer.
6. **Amolli** : affaibli.
7. **Serrer la pince** : serrer la main.

droit. » Résultat, sur mille enfants d'ouvriers il n'y en a que trente-quatre qui entrent à l'université. Elle est belle l'égalité.

— Qu'est-ce que vous faites pour que ça change ?

— Et toi ? »

J'AI TOUJOURS l'impression de ne pas aller assez loin, ni avec eux ni avec moi.

J'ai découvert beaucoup de choses pendant cette période épuisante. J'ai vécu en spectateur le spectacle qu'offre la débilité, et j'en ai tiré beaucoup d'enseignements et une meilleure connaissance d'une certaine jeunesse, celle que l'on montre du doigt, celle que l'on réprouve [1], celle aussi qui est l'abcès de fixation de toute la jeunesse, celle qui contient tous les ferments que l'on retrouve ici et là, peu ou prou [2], chez l'ensemble des jeunes.

Ma première constatation, la plus simple, la plus évidente, c'est que jamais je n'aurais pu vivre cette période et la dépasser si mon appartement avait été plus sonore et si mes voisins avaient été moins compréhensifs. Grâce à cela j'ai pu constamment, malgré les apparences, tenir le gouvernail [3]. Seule adulte, seule responsable avec un équipage de jeunes malheureux, et malades, s'asphyxiant, cherchant l'air désespérément.

Il m'a paru évident que si la plus mauvaise période de Grégoire, entre neuf ans et douze ans, a été tellement mal vécue par lui et par moi (au point d'avoir troublé gravement nos existences jusqu'à l'année dernière), c'est que nous vivions alors dans un immeuble extrêmement sonore où les voisins ne supportaient pas les enfants. Grégoire, qui avait un tempérament téméraire, accumulait les bêtises, ce qui entraînait des plaintes,

1. **Réprouver** : critiquer, blâmer.
2. **Peu ou prou** : plus ou moins.
3. **Tenir le gouvernail** : diriger.

des réflexions aigres douces, des interdictions affichées [1] dans l'entrée. J'étais tellement obsédée par cette répression que mon comportement en a été influencé. Au lieu de prendre le temps de comprendre Grégoire, de parler avec lui, je suis tombée dans la sévérité et la nervosité. Comme Grégoire n'est pas du bois dont on fait des flûtes [2] il s'est rebellé, cela a empiré [3] jusqu'à ce que je le mette en pension.

Je me souviens d'une paire de claques [4] que je lui ai flanquée un matin, vers six heures et demie, parce qu'il chantait dans la salle de bain. Or on entendait absolument tout ce qui se passait d'une salle de bain à l'autre. J'ai bondi de mon lit en pensant : « Il ne faut pas qu'il réveille le monsieur en dessus. Je ne veux pas entendre encore ce vieux rouspéter [5] devant ma porte. » Je suis entrée dans la salle de bain et j'ai giflé [6] Grégoire.

L'INSTALLATION des Amerloques puis leur départ précipité a changé l'atmosphère de la maison. Ça flotte [7]. Ils se cherchent, ils ont pris de l'expérience.

À moi à ne pas perdre la communication. Je dois être attentive encore plus que d'habitude. Je dois être chaleureuse et honnête. Ne pas dissimuler. Ne pas mentir. Cela n'est pas facile. L'éducation que j'ai reçue est la meilleure école du mensonge et de la putasserie du monde. J'en suis imprégnée.

1. **Affiché** : annoncé avec des affiches.
2. **Être du bois dont on fait des flûtes** : être très accommodant.
3. **Empirer** : devenir pire.
4. **Claque** (f.) : coup donné avec le plat de la main.
5. **Rouspéter** (fam.) : se plaindre, protester.
6. **Gifler** : donner des gifles.
7. **Flotter** : être en suspension.

On m'avait enseigné que certains mensonges étaient acceptables : les mensonges pieux, ceux que l'on fait pour éviter de blesser ou de peiner inutilement autrui. Par exemple quand nous allions une fois par an rendre visite à la famille de nos femmes de chambre (elles étaient trois sœurs), on m'avait expliqué qu'il fallait faire des compliments sur la beauté de leur maison. C'était pourtant une collection de tout ce que l'on m'avait indiqué comme étant horrible qui se trouvait là : fleurs artificielles, poupées sur les lits, napperons [1] au crochet, chromos [2] sur les murs, meubles Galeries Barbès, etc.

Les exclamations fusaient [3] dès l'arrivée :

« Mon Dieu, madame Manès, que votre maison est agréable.

— C'est bien petit, madame.

— C'est si propre. Vous êtes une femme courageuse. Je suis certaine que vous avez fait vous même ces rideaux qui vont si bien avec votre couvre-lit.

— C'est grâce à votre bonté, madame. Vous avez toujours été bonne avec nous. (Elle faisait sûrement allusion aux étrennes [4].)

— Pensez-vous. Nous n'avons fait que notre devoir et vous le méritez bien. Il faut s'entraider ici-bas. »

Pour obéir à ma mère et aussi pour faire plaisir aux trois sœurs que j'aimais bien, j'y allais de ma gentillesse.

« Je trouve vos fleurs encore plus belles que celles de l'an passé, madame Manès. »

De savoir tourner aussi bien le compliment à mon âge était une preuve de ma bonne insertion dans la société chrétienne-bourgeoise, dans la bonne société. En entendant mon pieux mensonge il me semblait que j'étais engagée sur le bon chemin, celui de Blanche de Castille ou de Jeanne d'Arc.

« Elle est gentille votre petite fille, madame. Espérons qu'elle

1. **Napperon** (m.) : petit linge de table.
2. **Chromo** (m.) : image en couleur de mauvais goût.
3. **Fuser** : glisser, se répandre.
4. **Étrennes** (f.) : cadeaux.

vous ressemblera. Si les pauvres n'avaient à faire qu'à des gens comme vous on serait moins malheureux, allez. »

À chacune de ces visites survenait un moment particulièrement pénible, celui où, étant assise sur une chaise, on mettait sur mes genoux une des poupées qui ornaient les lits. Je la trouvais ignoble, maquillée, avec des vêtements de bal, vulgaire, empestant [1] le parfum à bon marché. Je vivais ce martyre en souriant, fière de savoir me contrôler, de continuer à sourire. Je guettais le regard approbatif de ma mère.

La consécration venait toujours :

« Vous êtes si simples dans votre famille. »

Au retour, après un goûter plantureux [2] où je m'étais gavée [3] de pâtisseries espagnoles, ma mère, ayant vérifié que la vitre de communication entre le chauffeur et nous était bien fermée, me faisait remarquer que les gens du peuple mangent trop.

« Ça les rend malades et laids. C'est dommage. »

TRE attentive à eux, être honnête et leur trouver du travail ou les aider à trouver de l'intérêt dans leur travail.

Voilà mon programme pour l'instant.

Cela n'est pas simple de les mettre au travail car ils n'aiment pas travailler. Cela n'est pas une question de paresse, c'est une question d'équilibre et le leur est compromis.

La famille, la patrie, la religion, le lycée, tout cela n'est plus qu'un gâchis [4] autour d'eux. Ils n'ont pas la moindre bouée de sauvetage à quoi se rattraper, plus le moindre exemple à suivre, plus la moindre admiration, plus le moindre respect.

Ils méprisent la société dans laquelle ils vivent. Ils rejettent, pour la plupart, la politique qui serait le seul moyen d'abattre

1. **Empester** : dégager une odeur désagréable.
2. **Plantureux** : copieux, très abondant.
3. **Se gaver** : manger avec excès.
4. **Gâchis** (m.) : amas de choses gâchées, situation confuse.

cette société. Ils n'ont pas suffisamment confiance en eux pour inventer puis imposer un nouveau comportement et une nouvelle attitude sociale qui leur conviendrait. Alors ils sont dans le creux d'une vague [1]. Ballottés de-ci de-là, avec une conscience aiguë de ce qui les ballotte. Inertes, dégoûtés et pourtant bien vivants, jeunes, intacts.

Cette vacuité n'a l'air de toucher que les enfants des bourgeois ou des cadres, ceux qui ont le temps de méditer ou de rêver, ceux qui n'ont pas besoin de trouver immédiatement un toit et de quoi manger.

Pour les autres jeunes, les enfants d'ouvriers, de petits cadres, de paysans, le refus de la société dans laquelle nous vivons est pourtant le même, bien que formulé différemment ou moins précisément. Le besoin les pousse à devenir plus rapidement agneaux ou loups. La peur du gendarme, le poids des générations misérables dont ils sont issus fait que, le plus souvent, ils entrent dans le rang, ils ne veulent pas le savoir, ils obéissent, ils baissent la tête. D'autres deviennent des agitateurs politiques, des militants enragés, déchaînés, féroces. Et puis il y a la grosse frange des voyous.

Ils pullulent aux portes de Paris et de toutes les villes. On a parlé de l'agression contre Pierre Perret [2] à sa sortie de Bobino, une nuit. Passage à tabac [3] gratuit. La violence pour la violence : même pas pour voler. Il s'agissait d'une personne du spectacle. Cela pouvait intéresser les journaux à sensation. On en a parlé. Pourtant chaque jour ces jeunes, que mes enfants appellent des « loulous [4] », attaquent aux sorties du métro. Ils battent les jeunes comme les vieux, les chevelus comme les tondus. Ce sont des

1. **Être dans le creux d'une vague** : être au plus bas de son succès, de sa réussite.
2. **Pierre Perret** : chanteur français.
3. **Passage à tabac** : violences sur une personne qui ne peut pas se défendre.
4. **Loulou** (m., fam.) : mauvais garçon.

garçons qui ont entre quatorze et dix-huit ans. Quelques filles s'y mêlent parfois et pas seulement pour leur servir d'égéries. Ils traînent dans la rue, ils viennent des bidonvilles ou des HLM [1] de la périphérie. Ils sont effrayants ; ils sont veules [2], brutaux, grossiers. De véritables hordes d'animaux abandonnés et affamés.

À l'époque où l'agitation dans les lycées était grande les jeunes fascistes, « les fafs », se servaient des loulous. Ils les excitaient. Ils arrivaient en voitures, attaquaient les loulous avec des matraques [3] puis, à l'abri de leurs casques, ils repartaient dans leurs autos comme ils étaient venus. Le lendemain les loulous se pointaient [4] à la sortie des lycées où ça bougeait, se mettaient du côté des gauchistes et tabassaient [5] brutalement le premier mec d'Ordre nouveau qu'ils trouvaient. S'ensuivaient des bagarres [6] qualifiées de « bagarres entre gauchistes et forces de l'ordre ». Il faut dire que les jeunes ne sont pas des petits saints et que c'est avec plaisir qu'ils participaient à cette bagarre qu'ils n'avaient pas suscitée. Le mal était fait : les gauchistes, pour l'opinion publique, sont devenus de jeunes truands [7], des brutes, des voyous. Pourtant ils n'y étaient pas pour grand-chose. Et, si ça se trouve, le soir même, à la sortie du métro un garçon du Secours rouge se faisait ouvrir l'arcade sourcilière par les mêmes loulous qui avaient esquinté [8] le type d'Ordre nouveau le matin même.

La police est parfaitement au courant de tout cela. Elle laisse faire. Dans le fond ça l'arrange. Comme les Katangais en 1968. D'ailleurs les loulous ne volent pas. Ils frappent par plaisir et au hasard. À quoi servirait de les arrêter ? Il faudrait leur improviser

1. **HLM** : habitation à loyer modéré.
2. **Veule** : faible, lâche.
3. **Matraque** (f.) : arme contondante assez courte.
4. **Se pointer** (fam.) : venir.
5. **Tabasser** (fam.) : frapper, passer à tabac.
6. **Bagarre** (f.) : lutte, dispute.
7. **Truand** (m.) : délinquant.
8. **Esquinter** : ici, frapper.

une famille unie, une vie chaleureuse, une nourriture saine, un métier, la possibilité de communiquer. Ces gosses ne peuvent qu'être rangés dans la catégorie : délinquants, voleurs, tueurs. C'est le dépôt que laisse la misère de la civilisation.

De nouveau la fatigue me prend. Est-ce que j'aurai le courage de tenir jusqu'au bout ? J'ai un intense besoin de solitude, de repos, de silence. Il me semble que l'adolescence de mes enfants est interminable. Et cependant je sais que j'en ai encore pour des années.

J'ai décidé d'aller rejoindre Jean-Pierre à Montréal et pendant trois semaines j'ai vécu calfeutrée [1] dans un Canada enneigé. C'était la première fois que je laissais mes enfants.

Quel instinct m'avait poussée à partir alors qu'ils étaient assis entre deux chaises [2] ?

Les premiers jours, je continuais à vivre à mon rythme. C'est-à-dire que je me levais d'un coup vers sept heures du matin et je commençais à agir. À neuf heures je n'avais plus rien à faire. L'angoisse me prenait. Que font-ils ? Vont-ils au lycée ? Ne vont-ils pas dépenser tout l'argent en deux jours ? Et après, vont-ils crever de faim ? Et Grégoire, va-t-il régulièrement à son travail ? Le courrier est très long entre la France et le Canada. Le téléphone est très cher. Impossible donc d'avoir avec eux une communication directe. La mécanique tournait à vide à l'intérieur de moi : « Dépêche-toi. » « Je suis en retard. » « Vite, vite. » « Quelle heure est-il ? » « Je vais rater mon rendez-vous. » « Mardi. À quelle heure Charlotte sort-elle le mardi ? Dorothée c'est trois heures. » « Il faut que j'achète de quoi manger. » « C'est aujourd'hui que Charlotte a son interrogation de maths, est-ce que cela a marché ? »

La maison était chaude et paisible. Je n'avais qu'à me laisser

1. **Calfeutré** : enfermé.
2. **Être assis entre deux chaises** : être dans une situation délicate.

vivre : écrire, dormir, écouter de la musique. Comme c'est simple et agréable d'être seule avec un homme. Je l'avais oublié.

J'ai mis dix jours à désapprendre à ne penser que par rapport à eux : « Il faut que Grégoire voie ceci. » « Je raconterai cela à Charlotte. » « Dorothée aurait trouvé que... » Jean-Pierre ne faisait que répéter : « Fais-leur confiance. » Dix jours sur vingt et un !

Les onze derniers jours furent comme du miel : dorés et transparents, doux. J'avais hissé la grand-voile et le foc [1] et je naviguais par grand beau temps. Tout était trop loin. Je ne pouvais plus rien faire que de vivre l'heure présente et j'en ai bien profité.

De retour au bercail [2] j'ai trouvé toute la bande qui m'attendait. Ceux qui ne sont pas passés m'ont téléphoné pour prendre de mes nouvelles. Cela m'a touchée. À vrai dire, je ne m'y attendais pas.

Ils ont transformé le salon en un véritable souk [3]. Ils sont allés ressortir des tas de vieilleries oubliées dans le fond des placards. Ils ont punaisé [4] au mur des foulards et des cotonnades indiens. Je garderai certainement le coin de musique avec une natte et des coussins par terre. Il y a d'autres choses qui me plaisent moins. Dans ma chambre ils ont changé les meubles de place ou plutôt ils ont mis à gauche ce qui était à droite. Si bien que la chambre est la même. Simplement le besoin de changer, de digérer les lieux. C'est une bonne réaction.

À part ça, la maison est sale, la cuisine surtout.

« Comment trouves-tu les transformations ? C'est chouette, non ?

— Il y a beaucoup de choses qui me plaisent. D'autres qui me plaisent moins.

1. **Foc** (m.) : voile triangulaire à l'avant d'un navire.
2. **Bercail** (m.) : maison.
3. **Souk** (m.) : marché arabe ; ici, grand désordre.
4. **Punaiser** : afficher à l'aide d'une ou plusieurs punaises.

— Par exemple ?

— La grande image de première communion de ma mère qui trône dans le salon.

— Elle est vachement fricky. Tu la trouves pas marrante ?

— Pas du tout et puis elle me rappelle des souvenirs qui me cassent les pieds [1]. Je n'ai pas l'intention d'avoir ce truc-là [2] sous le nez tous les jours — fricky ou pas.

— Bon ça va, tu l'enlèveras. À part ça ?

— À part ça, c'est sale. »

Silence.

Le lendemain de mon retour je me suis rendu compte qu'une partie de la vieille argenterie qui était dans le salon avait disparu. Il y avait un gros samovar [3], des cafetières, théières, etc.

« Où est passée l'argenterie du salon ?

— Eh bien y a des mecs d'Avignon qui sont arrivés un soir de la part d'une amie de Grégoire. Ils ont demandé s'ils pouvaient coucher là. Ils ont dîné, dormi, le lendemain ils étaient partis avec l'argenterie.

— Et vous n'avez rien fait pour les retrouver ?

— On les a vus à la manif [4] le jour de l'assassinat de Pierre Overney, dit Charlotte, quand ils m'ont aperçue ils ont filé.

— Et c'est tout ?

— Oui.

— Je vais leur mettre les flics au cul.

— Tu dis toujours que tu te moques des objets, qu'il ne faut pas s'attacher aux choses.

— Ce n'est pas parce qu'ils m'ont volée que je suis furieuse,

1. **Casser les pieds** (fam.) : gêner.
2. **Truc** (m., fam.) : ici, objet, chose.
3. **Samovar** (m.) : bouilloire russe.
4. **Manif** (f., fam.) : manifestation.

c'est parce qu'ils se sont foutus de ma gueule [1]. Ils mangent, ils dorment et ils emportent l'argenterie. Je vous l'ai déjà dit, il ne faut pas me confondre avec l'Armée du salut ou avec un bureau de bienfaisance. Je veux que cet endroit soit ouvert pour qu'on puisse s'exprimer et communiquer. C'est pas la soupe populaire ici ni le dortoir municipal. Je trouve qu'en agissant comme ça ces garçons se sont moqués de moi et qu'ils ont agi comme de sales petits truands réactionnaires. J'ai vraiment l'intention d'aller le déclarer au commissariat. C'est trop facile. »

Sur ce, je pars au bureau en vitesse, je suis déjà en retard. Je n'y suis pas arrivée depuis une heure que Grégoire m'appelle au téléphone.

« Il ne faut pas déclarer ce vol à la police.

— Je te demande bien pardon mais je le ferai.

— Je te supplie de ne pas le faire.

— Pourquoi ?

— Ça ferait des histoires à la fille, son père est maire du patelin [2]. C'est un petit patelin, tu te rends pas compte.

— Je m'en fous.

— Maman, ne le fais pas. »

Et de l'autre côté, j'entends Grégoire, qui pleure. Ça alors ! Grégoire pleurer ?

« Mais qu'est-ce qui te prend ? Qu'est-ce que tu as fait ? Pourquoi pleures-tu ?

— Pas les flics maman, je t'en prie, pas les flics, c'est des salauds, ils sont dégueulasses avec les jeunes.

— Je déteste ce romantisme. Les flics sont grossiers avec tout le monde pas seulement avec les jeunes. Le nombre de fois où je me suis fait répondre : « Allez, allez, circule », alors que je demandais un renseignement dans ma R-8 minable !

— Je t'assure que si tu mets les flics là-dedans ça va être épouvantable.

1. **Se foutre de la gueule de quelqu'un** (fam.) : se moquer de quelqu'un.
2. **Patelin** (m., fam.) : village.

— Tu as quelque chose à cacher, ce n'est pas possible.

— Rien, absolument rien. Mais enfin tu es folle ! Tu vois les flics à la maison ? Tu te rends compte ! Ils vont venir à la maison, ils vont nous voir tous. Ils ne vont pas comprendre. Ça sera encore plus terrible pour toi. Il ne faut pas entrer dans leur système. »

J'enrage littéralement. Grégoire a raison et, une fois de plus, je suis écartelée. Ne pas entrer dans le système et pourtant y vivre. Il n'y a qu'une solution politique à ce problème. Il n'y a que la révolution. Et ils ne la font pas.

Je voudrais les secouer comme des pruniers. Je leur en veux d'être obligée, pour les élever, de me compromettre. Que je gagne ma croûte dans le système ne les dérange pas. Que j'appelle les flics les bouleverse. Ça ne va pas. Une fois de plus je vais les obliger à définir la société dans laquelle ils veulent vivre.

Je crois qu'ils ne sont que des bourgeois qui n'acceptent pas la forme bourgeoise. La forme seulement.

ASSASSINAT de Pierre Overney. Enterrement de Pierre Overney. Meetings, défilés, réunions, tracts [1]. Mon retour se passe justement entre la mort et l'enterrement.

Agitation dans la maison, palabres. Accumulation de sacs de lycée dans l'entrée. Charlotte qui met son brassard [2] rouge barré de noir pour aller à un meeting et qui déclare :

« Je suis de moins en moins pour l'extrême gauche.

— Tu n'es pas pour le PC [3] non plus.

— Les cocos [4], c'est presque pire que les bourgeois.

— Et alors ?

— Alors, je ne sais pas. »

1. **Tract** (m.) : feuille ou brochure gratuite de propagande.
2. **Brassard** (m.) : bande d'étoffe qu'on porte au bras.
3. **PC** : parti communiste.
4. **Coco** (fam.) : communiste.

Dorothée elle-même va à l'enterrement. C'est la première fois qu'elle veut participer à une manifestation. Initiation par son frère et sa sœur.

« Tu as tes papiers ?

— Oui.

— Il vaut mieux perdre ton fric que tes papiers.

— Si tu nous perds reste vers le milieu. Si tu es trop devant ou trop derrière tu risques de te faire piquer.

— Le métro c'est ce qu'il y a de mieux. S'il y a une charge ou une débandade [1] fous-toi dans le métro. »

Ils sont partis à une heure de l'après-midi et rentrés à sept heures. Tout ce temps-là ils ont piétiné et marché.

Je pense à un journaliste de droite qui disait pendant Mai 68 : « Surtout qu'ils n'en tuent pas. Tant qu'il n'y a pas de morts ça ne basculera pas complètement. Une révolution ça se fait avec beaucoup de sang. »

Déjà avec Richard Deshayes les esprits étaient échauffés mais c'était moins profond qu'aujourd'hui avec Pierre Overney. Il est mort, c'était un ouvrier.

LA MORT est un de leurs sujets de conversation. Pas la « belle mort » celle des personnes âgées ou des malades, ils sont trop jeunes pour la ressentir dans leurs corps, en trop bonne santé. Celle qui les touche c'est celle des suicidés, celle des accidentés de la route, celle de ceux qui meurent à la guerre.

L'année dernière la petite Catherine, une des rares amies de Dorothée, a été tuée dans un accident de voiture, décapitée. Dorothée est restée quarante-huit heures dans sa chambre à lire. Elle n'a pas prononcé le nom de son amie, pas mis un pied dehors, pas bougé de son lit. Ensuite elle a systématiquement évité les parents de Catherine. Pour tous les autres enfants de la maison cela a été le même silence, la même gravité.

1. **Débandade** : confusion.

Dans leurs disques et leurs films préférés il est souvent question de la mort ou de la fin. Une mort chantée par les Américains. Une mort qui a peu à voir avec la nôtre dans sa forme, celle des Funeral Homes, la mort encore plus absurde de ceux qui la nient en maquillant les cadavres.

Pendant le séjour des Amerloques la petite Emily, celle qui riait comme une folle, et faisait rire tout le monde d'ailleurs, avec l'histoire de la petite fille qui faisait cuire son frère dans le four, a été bouleversée en apprenant que nous gardions les morts dans les maisons en attendant l'enterrement. Elle avait vu un corbillard [1] dans la cour de l'immeuble et elle avait demandé ce qu'il y faisait.

« Il doit y avoir quelqu'un de mort dans l'immeuble. On vient le chercher pour l'emmener à l'église et au cimetière.

— Tu veux dire qu'il y a un mort dans l'immeuble depuis plusieurs jours ?

— Oui.

— C'est horrible.

— Pourquoi ? »

Ce qui les touche c'est l'absurdité et la relativité de tout. Rien n'est réellement important. Rien n'est réellement négligeable.

En ce qui concerne la guerre leur attitude est d'une extrême violence. La guerre les dégoûte. Mourir pour enrichir des marchands de canons ou pour assurer sur un trône quelque homme politique douteux [2], c'est insupportable. Je n'en ai encore jamais rencontré un seul qui veuille faire son service militaire. Ils se feront réformer ou ils iront à la coopération.

L'effondrement [3] de l'armée à la fin de la guerre d'Algérie a

1. **Corbillard** (m.) : fourgon mortuaire.
2. **Douteux** : suspect, mauvais.
3. **Effondrement** (m.) : défaite.

enlevé le peu de doré qui restait à l'activité militaire du pays. Quand les adultes parlent de la guerre ils parlent de la guerre de 14 ou de la guerre de 39-45. Pour les jeunes la guerre c'est la guérilla, c'est l'affrontement entre une idéologie libératrice et la stupidité d'un boyard [1]. La guerre c'est le Viêt-nam, le Bengla Desh, l'Irlande.

Pour moi, je n'ai pas la notion de patrie. Il faut dire que lorsque j'apprenais : « Nos ancêtres les Gaulois avaient les cheveux blonds », j'étais assise dans une salle de classe, baignant dans la chaleur humide d'octobre, entourée d'enfants aux cheveux et aux yeux bruns. Aux approches de Noël, sur mes livres de lecture, je regardais les illustrations qui représentaient toujours un paysage de neige, une chaumière [2] blottie dans le houx [3] et le gui [4], des enfants en sabots, emmitouflés [5] dans des cache-nez, glissant sur un lac gelé. Cela m'étonnait autant qu'un paysage asiatique peuplé de pagodes et de dragons. À Noël, pour moi, il faisait formidablement beau, l'herbe était verte, les oranges étaient mûres.

Quelle attitude avoir avec les garçons en ce qui concerne le service militaire ? Je suis incapable de prendre une position. Il me semble que, si j'étais à leur place, je penserais comme eux.

En ouvrant la porte pour nous laisser sortir le médecin avait dit : « Mettez-la en pension en France dès que ce sera possible. »

J'avais douze ans. Ma mère en avait quarante.

Tapis d'escalier, tringles [6] de cuivre. Le trottoir à l'ombre des

1. **Boyard** (m.) : homme riche.
2. **Chaumière** (f.) : petite maison rustique.
3. **Houx** (m.) : arbre à fruits sphériques d'un rouge vif.
4. **Gui** (m.) : plante parasite (le houx et le gui de Noël).
5. **Emmitouflé** : enveloppé.
6. **Tringle** (f.) : barre.

arcades. Des palmiers sur le trottoir d'en face qui se dressent dans un ciel blanc de chaleur.

Le chauffeur nous a vues venir. Il a sa livrée d'été. Il ouvre la portière en tenant sa casquette à la main. Ma mère me fait passer la première. Nous nous asseyons sur les coussins confortables et bouillants.

« Vous auriez dû ranger la voiture à l'ombre, Kader.

— Il est midi, madame, il n'y a pas d'ombre. »

Nous roulons le long du front de mer, en douceur, en souplesse, une petite brise marine vient nous rafraîchir.

En moi-même je pensais : « Heureusement qu'il y a la guerre. Comme ça je resterai ici. J'aime pas la France. »

LA FRANCE ! Ce pays sacré que je craignais autant que le Bon Dieu. La Rochelle, Paris ! vieilles villes exemplaires chargées de l'importance de leur histoire.

Avant la guerre nous y allions chaque été pour raison de santé, de famille, de patriotisme. Tout, là-bas, devait faire du bien au corps, au cœur, à l'âme.

Visite de la grand-mère et visite des Invalides.

Visite des cousins et pèlerinage au tombeau de Napoléon.

Pèlerinage au musée de l'Armée et essayages dans les grandes maisons.

Concerts salle Pleyel avec gants blancs et chaussettes de fil blanc, escarpins [1] de vernis noir, costume marin. Enfoncée dans ma rangée de fauteuils de velours rouge, ne voyant rien à cause du chapeau de la dame de devant, ne bougeant pas, entendant une musique bien élevée et qu'il faut connaître.

Versailles.

Messe à Notre-Dame. Encens, vitraux, rosaces [2], flèche. Canotier à longs rubans mauves, gants assortis. Sermon du

1. **Escarpin** (m.) : chaussure de femme.

2. **Rosace** (f.) : grand vitrail d'église, de forme circulaire.

Révérend Père Machin [1]. « Quel dommage que nous ne soyons jamais là pour Pâques. Il prêche, paraît-il, le Carême, d'une façon admirable », disait ma mère à ma grand-mère à la sortie de l'office.

Guerlain. Chanel.

Tombe du Soldat inconnu. Arc de Triomphe. Discret bouquet de violettes déposé furtivement par la petite fille d'outre-mer en service commandé. Guerre de 14. Cousins, frères, fiancés, tous morts pour la France.

La Grande Maison de Blanc. Old England.

Déjeuner dans un restaurant du Bois ou au Fouquet's. Jupe écossaise, pull shetland, béret de velours noir. Ne pas parler à table. Décortiquer les crevettes avec les couverts à poisson. Petits pois trois par trois sur le dos de la fourchette. Le couteau par le bout du manche. Reposer les couverts dans l'assiette après chaque bouchée. Éplucher la poire avec les outils adéquats. Fameuse mise en pratique des leçons de tous les jours !

Hédiard. Fauchon.

Professeurs en médecine toutes catégories, toutes spécialités. Auscultation. Bonne santé. Développement exceptionnel pour mon âge. Regards entendus entre ma mère et le professeur : « La Méditerranée,n'est-ce pas... » « Elle pousse trop vite, son foie est un peu sensible. L'air de France lui conviendrait mieux. Une bonne pension comme Les Oiseaux ou Notre-Dame-de-Sion ne lui ferait pas de mal. Plus tard, à sa puberté. » Station interminable dans le salon d'attente pendant l'auscultation de ma mère. Beaux meubles signés, tableaux de maîtres, objets chinois.

Banque de France.

Séjour en Suisse à cause des poumons paternels.

Séjour à Vichy à cause du foie colonial.

Marseille.

Retrouvailles avec les odeurs de pisse et de mer. Soleil. Port. Le bonheur qui fait pleurer de voir Alger dans le petit matin. La

1. **Machin** (m., fam.) : objet, personne dont on ignore le nom.

perspective toute proche de revoir Kader et Daïba qui sentent le couscous, Dolorès et Carmen qui sentent le patchouli. Enfin parler. Enfin courir pieds nus sur les plages. Enfin la ferme pour les vendanges.

Abandonnés pour un an les drapeaux en loques des victoires, le langage châtié [1], les escarpins tous les jours, les rois et les reines à perruques, les présidents de la République barrés du grand cordon de la Légion d'honneur, l'examen difficile du grand pays exemplaire.

Grâce à la guerre on n'y va plus !

Je n'ai pas beaucoup évolué depuis cette époque. Alors, les classes à pied, le maniement d'armes et le parcours du combattant, à l'ère atomique par-dessus le marché, je n'en vois pas l'intérêt. Pour défendre quoi ?

Et cette fameuse Résistance dont on nous rebat les oreilles à longueur d'années ! Qui cela intéresse-t-il ? Les vieux. Les gens de ma génération n'ont même pas vécu la Résistance. Ce sont les grands-parents des jeunes d'aujourd'hui qui l'ont vécue. Pour ces gosses la Résistance c'est de l'Histoire, au même titre que Jeanne d'Arc ou Napoléon, ce n'est pas la vie. Après tout, on n'est pas obligé d'être porté sur l'Histoire.

Eux, ils sont les enfants de la guerre d'Algérie. Or, de cette guerre-là on ne parle pas. Ils se souviennent, ils avaient six ans, huit ans, dix ans (comme moi je me souviens d'avoir chanté *Maréchal nous voilà*, dans la cour de l'école, en chœur avec toute la France — sauf les résistants). Beaucoup ont des frères aînés ou des cousins qui étaient en Algérie et qui en parlent. Cela ne rend pas tout à fait le même son que la Résistance. La véritable armée pour les jeunes, c'est celle de Massu ou de Bigeard, ce n'est pas du tout celle de la France libre. Les jeunes savent parfaitement faire la différence entre un para [2] et le

1. **Châtié** : poli.
2. **Para** (m.) : parachutiste.

sapeur Camember[1].

Dans les salles où on projette *La Guerre d'Algérie* ou *Avoir vingt ans dans les Aurès*, c'est plein de jeunes. Quelques-uns, très peu, s'ils en ont le temps, vont voir *Le Chagrin et la Pitié*, pour se goberger[2] de la « débilité des vieux ». Mais, à la télé, si on passe un film sur la Résistance on presse sur le bouton pour changer de chaîne. À moins que le film n'ait un intérêt cinématographique, au même titre que *L'Ange bleu* ou *Le Cuirassé Potemkine*.

1. **Sapeur Camember** (m.) : soldat, héros d'une bande dessinée de la première moitié du siècle.
2. **Se goberger** : prendre ses aises, bien se traiter.

Découvrons ensemble ...

... ce que la narratrice pense du rapport entre les jeunes et la société

- Que pense-t-elle du rapport entre les jeunes et le système ?
- Quelle est l'opinion de Cécile à propos de l'enseignement de l'économie ?
- Est-ce que, selon la narratrice, les jeunes sont prêts à s'engager politiquement ?
- Lisez le passage sur « les jeunes gauchistes » de façon à pouvoir dire :
  - ce que les enfants de la narratrice pensent à propos de ces jeunes ;
  - comment la narratrice considère l'engagement de ces jeunes.

... un exemple de l'hypocrisie bourgeoise

- Lisez le passage sur les « mensonges acceptables » et dites de quel type de mensonges il s'agit.
- Relevez l'attitude de la mère de la narratrice et dites ce qui la caractérise.
- Comment est-ce que la narratrice essaie de donner à ses enfants une éducation différente de celle qu'elle a reçue ?

... comment la narratrice considère la France

- Que pensait-elle de la France quand elle était jeune ?
- Pourquoi devait-elle se rendre en France ?
- Quels sont les souvenirs de la France qu'elle évoque ? De quels personnages et de quels lieux se souvient-elle ? Pourquoi ?
- Que dit-elle à propos de la Résistance ?

Analysons le récit

- Lisez le passage où la narratrice évoque la France et dites pourquoi l'absence de verbes donne à certaines phrases une efficacité toute particulière. Sauriez-vous transformer les passages suivants en des phrases complètes ?

  Visite de la grand-mère et visite des Invalides.

  ....

  Versailles.

  ....

  Messe à Notre-Dame.

  ....

  Professeurs en médecine toutes catégories, toutes spécialités. Auscultation. Bonne santé. Développement exceptionnel pour mon âge.

  ....

- Retrouvez les neuf subdivisions qui composent cette neuvième partie du roman et donnez-leur un titre.

Discutons ensemble

1. « L'arme de choc de la publicité est la jeunesse. » Est-ce que vous êtes d'accord avec cette affirmation ? Pourquoi ?
2. Cherchez dans un journal ou dans un magazine quelques publicités qui se servent de la jeunesse pour promouvoir un produit et commentez-les.
3. « La peur du gendarme, le poids des générations misérables dont ils sont issus fait que, le plus souvent, ils entrent dans le rang, ils ne veulent pas le savoir, ils obéissent, ils baissent la tête. D'autres deviennent des agitateurs politiques, des militants enragés, déchaînés, féroces. Et puis il y a la grosse frange des voyous. » Est-ce que vous êtes d'accord avec la distinction que la

narratrice fait entre les jeunes qui s'intègrent dans la société et ceux qui choisissent l'engagement politique ou la délinquance ?

4. Quels sont les épisodes de violence dont les jeunes sont protagonistes de nos jours ? Quelles sont, à votre avis, les causes de ces comportements violents ?
5. Lisez la liste des « symboles » de la France et soulignez ceux que vous connaissez (par ex. : Versailles, le tombeau de Napoléon, etc.). Dites ensuite ce que ces symboles évoquent dans votre mémoire (par ex. : un voyage que vous avez fait, une photo que vous avez vue dans un journal ou dans votre livre de français, etc.).

Mots à retenir pour ...

... parler des réactions violentes de certains jeunes

S'adapter S'intégrer
Refuser Refus Bagarre
Dégoûtés Générations
Malaise Mépriser Réaction
Difficulté Protester

- Cherchez dans un journal un fait divers concernant un épisode de violence auquel des jeunes ont participé. Faites ensuite un compte-rendu en français de ce qui s'est passé.

DEPUIS mon retour du Canada l'ambiance n'est plus la même. Il y a comme une épuration qui s'est faite d'elle-même pendant mon absence. Avec le troisième trimestre qui commence, avec les conclusions qu'ils ont dû finalement tirer de ce qu'ils ont vu pendant l'hiver, avec le vol de l'argenterie, avec les fiascos des uns et des autres, avec la responsabilité de la maison, ils se sont mieux définis, ils ont évolué. On parle beaucoup de baccalauréat et de brevet [1] à l'heure du déjeuner. Charlotte travaille sérieusement. Ils sentent que la fin de l'année scolaire est proche et qu'il va y avoir des changements. Je suis certaine qu'ils se trouvent devant un choix :

« Passer les examens et entrer dans le système ?

— Laisser tout tomber ? Mener une vie semblable à celle de Yves, Bertrand, Cécile, etc. ?

— Acquérir une culture contestable et essayer de trouver un chemin propre à leur jeunesse ? »

Je les laisse faire. Je regarde et surtout je ne souligne pas les changements qu'ils ne m'indiquent pas d'eux-mêmes. Tout cela est fragile et j'ai l'impression que c'est leur affaire et pas la mienne. Je veux qu'ils se sentent responsables des décisions qu'ils sont doucement et secrètement en train de prendre. Donc je n'agis pas. J'écoute. Je mène ma vie tout en étant extrêmement attentive à ce qu'ils disent et font.

MA CHÈRE ROSY est partie. Elle devait aider son mari qui a pris un commerce [2]. Il y a longtemps que cela me pendait au nez [3]. C'est arrivé. Plus de femme de ménage. Elle est irremplaçable. J'imagine qu'une autre personne prendrait ses

1. **Brevet** (m.) : brevet d'études du premier cycle.

2. **Commerce** (m.) : magasin.

3. **Ça me pendait au nez** : ça devait m'arriver.

jambes à son cou [1] et déguerpirait [2] sans demander son reste après avoir vécu trois heures dans la baraque.

En voyant Rosy écarquiller [3] les yeux les premiers matins où elle a trouvé des jeunes inconnus couchés par terre dans le salon, je lui ai donné des explications. Je lui ai dit que je voulais laisser faire tout en contrôlant, que je voulais rester très proche de mes enfants et que je préférais les voir agir ici plutôt que dans les bistrots ou ailleurs, dans des endroits ou je n'aurais pas accès.

Au cours des années elle a suivi mon expérience. Elle a été spectateur au deuxième degré, elle regardait par-dessus mon épaule et souvent ses réflexions et ses observations m'ont rendu les plus grands services. Elle était devenue experte en pagaille, en haillons, en désordre. Elle savait ce qui était sale et à laver et sale mais à ne pas laver, ce qui était en désordre volontaire ou involontaire. Rosy est partie, n'en parlons plus. Elle me téléphone, affolée [4], presque tous les matins. Elle se fait du souci.

« Si vous n'y arrivez pas appelez-moi, je viendrai le dimanche.

— J'y arrive, Rosy, ne vous en faites [5] pas. »

J'ai réuni mes trois enfants dans ma chambre.

« Rosy est partie définitivement. Ne croyez-vous pas qu'à nous quatre nous pourrions nous en tirer très bien ? Avec l'argent que Rosy gagnait chaque mois nous pourrions acheter des livres, des disques, aller au cinéma.

— On est d'accord.

— J'ai pensé que la corvée [6] à tour de rôle [7], le genre : lundi Charlotte, mardi Dorothée, mercredi Grégoire, etc. ça ne marcherait pas. Il vaut mieux qu'on fasse ce qu'on aime faire ou

1. **Prendre ses jambes à son cou** : s'enfuir.
2. **Déguerpir** : abandonner précipitamment un endroit.
3. **Écarquiller** : ouvrir démesurément.
4. **Affolé** : préoccupé, épouvanté.
5. **S'en faire** (fam.) : s'inquiéter, être contrarié.
6. **Corvée** (f.) : travail pénible et inévitable.
7. **À tour de rôle** : chacun son tour.

ce qui nous embête le moins. Par exemple, moi ça ne me dérange pas de nettoyer chaque jour la salle de bain et la cuisine.

— Moi j'aime bien passer l'aspirateur.

— Moi je pars tous les matins à sept heures et demie.

— Tu peux faire les vitres quand tu es là, en fin d'après-midi. Un jour une, le lendemain une autre.

— D'accord.

— Et moi, qu'est-ce que je fais ?

— Toi, tu es le plus fort, tu peux nettoyer les murs, le balcon, les gros trucs, une ou deux fois par semaine un gros boulot.

— D'accord.

— Bon, alors chacun fait sa chambre et on se partage les parties communes comme on vient de le dire ?

— O.K.

— Et tous les copains qui viennent chaque jour on leur demande de donner un coup de main !

— Évidemment ! tu vas voir un peu comme on va les faire astiquer [1]. »

Nous verrons bien comment cela se passera. Heureusement j'ai une bonne machine à laver depuis l'année dernière et ça simplifie le problème du linge. Le rêve ce serait une machine à laver la vaisselle.

LONGUE CONVERSATION ce matin avec Charlotte avant son départ pour le lycée. Elle assise au pied de mon lit, moi allongée, chacune avec sa cigarette et sa tasse de thé.

Nous récapitulons, dans l'ordre, toutes les sélections qui font trembler, qui tombent comme une guillotine. Et ça depuis la classe de septième. De dix ans à dix-huit ans. Huit années à naviguer à travers de gros écueils [2]. L'entrée en sixième au lycée

1. **Astiquer** : frotter, nettoyer.

2. **Écueil** (m.) : rocher contre lequel un navire risque de s'échouer.

ou dans un CEG [1]. En fin de cinquième le tri [2] classique, pas classique, la décision études courtes ou longues en fin de troisième, la sanction des deux dernières années du lycée. Pendant huit ans, la hantise [3] des moyennes, la peur du renvoi, car il n'y a pas de places dans les lycées, alors il faut en faire coûte que coûte. Si vous êtes trop vieux, si vous n'avez pas la moyenne [4], il faut partir. Et une fois au bout de ça, encore de longues années avec, comme bruit de fond, la corne de brume [5] du chômage qui beugle [6] à intervalles réguliers au-dessus des jeunes.

« J'ai une trouille bleue [7] de passer mon bachot. Je n'y arriverai jamais.

— Mais si, tu y arriveras. J'en suis certaine. »

Ils n'ont aucune confiance en eux !

Grégoire a commencé un stage de montage. J'en suis très heureuse. Il se passionne pour le cinéma et il me tarde [8] qu'il entre totalement dans cet univers qu'il a choisi et qui lui convient.

Charlotte, en se levant pour partir :

« J'espère que ça va marcher pour Grégoire. Pourvu qu'il ne se fasse pas mettre à la porte.

— Pourquoi ça ? Il n'y a aucune raison pour qu'il se fasse mettre à la porte.

— J'ai tellement vu les copains foirer [9] dans leurs boulots.

1. **CEG** : Collège Enseignement Général.
2. **Tri** (m.) : action de trier, de choisir parmi d'autres.
3. **Hantise** (f.) : obsession.
4. **Moyenne** (f.) : nombre de points égal à la moitié de la note maximale.
5. **Corne de brume** (f.) : avertisseur de brouillard.
6. **Beugler** (fam.) : crier.
7. **Avoir une trouille bleue** (fam.) : avoir très peur.
8. **Il me tarde que** : j'attends avec impatience que.
9. **Foirer** (fam.) : rater, échouer.

— Parce qu'ils faisaient n'importe quoi. Du travail idiot. Si ce que tu fais te plaît, ça marche. »

Heureusement Anne était là, avec ses petites annonces en main, à appeler au téléphone des employeurs possibles. J'entends quotidiennement ses pauvres phrases : « Niveau bac... J'ai fait du secrétariat mais je ne suis pas dactylo... Niveau bac, oui... » Elle a entendu notre conversation. Elle conclut :

« Quand le boulot est con tu le fais pas bien. Et pour avoir des boulots pas cons il faut connaître des gens ou avoir des tas de[1] diplômes. Et encore... »

La vie est douce pour moi en ce moment. Je trouve les enfants gais, ils ont des enthousiasmes. Grégoire est délirant quand il parle de son travail :

« Tu vois, quand je suis devant la petite image de la table de montage je sais que c'est ça que je veux faire. Le cinéma c'est le plus beau métier du monde. »

Le ménage se fait bien. Je trouve que la maison est très propre. Je n'en crois pas mes yeux. Le rangement se fait à des heures inhabituelles mais il se fait bien.

Ce calme est surprenant. J'espère que je ne suis pas en train de faire de mes enfants des bourgeois !

Je ne vois pas pourquoi être propre serait être bourgeois.

Ils sont en train de prendre la responsabilité de la maison, c'est formidable.

Comment serait la vie si Jean-Pierre vivait avec nous ? Je ne serais pas aussi disponible que je le suis.

Rien n'est jamais acquis avec les adolescents. Je sens très bien que de nouveaux événements se préparent, de nouveaux comportements. Dorothée, par exemple, est en train d'entrer dans l'adolescence d'une manière qui me surprend. Elle s'ennuie

1. **Des tas de** : beaucoup de.

sans se traîner tout en faisant tout ce qu'elle a à faire, elle agit parce qu'un instinct la pousse à agir, un peu comme si elle avalait une purge. Je ne sais pas bien comment la prendre. Et j'ai l'impression de ne pouvoir faire grand-chose pour elle. À part d'être disponible et prête à l'écouter quand elle le désirera.

La première fougue [1] ménagère passée, disons qu'il y a du tiraillement [2]. Grégoire ne fait plus rien. Il a attrapé la maladie du mâle, celle qui veut qu'en rentrant de son travail il ne fasse plus rien d'autre que de se laisser servir. C'est agaçant. Il est amoureux de Cécile. Comme elle disait l'autre jour qu'elle aimait les enfants il lui a offert un poisson rouge.

Cécile :

« Oh ! Grégoire, tu es un amour de fromage ! Comme elle est mignonne !

— C'est un poisson.

— Oui, mais c'est une petite fille. Regarde ses yeux et comme elle bouge. Je suis sûre que c'est une petite fille. Elle va s'appeler Aïdée. »

Ils sont tombés d'accord tous les deux pour faire un aquarium à Aïdée dans le meilleur vase de la maison.

« Et les fleurs, où est-ce que je vais les arranger ?

— Dans le vase blanc.

— Il n'est pas bon. On ne fait pas de beaux bouquets avec ce vase.

— On va acheter un aquarium. »

LAKDAR est installé complètement à la maison. Il me rend des tas de services. Mais je suis inquiète parce qu'il ne travaille pas. Ses copains marchands de pommes de terre sont partis. J'ai toujours peur qu'il retombe dans l'héroïne.

Chez Lakdar, au manque de confiance en soi, courant chez

1. **Fougue** (f.) : ardeur.
2. **Tiraillement** (m.) : conflit, désaccord.

presque tous les jeunes, vient s'ajouter d'une part l'*inch Allah* [1] de sa race et d'autre part la résignation à la médiocrité de certains ouvriers. Ça fait beaucoup. Il est persuadé que son sort a été, est, et sera mauvais. Alors, avec un sourire, il s'efface : « Ça fait rien, je vais vous éplucher vos pommes de terre. » Il est le seul ici qui ne me tutoie pas. Quant à moi je me surprends à lui dire avant de sortir : « Lakdar, si tu peux, tu feras la salle de bain. »

Attention ! le vieux complexe colon-indigène remonterait-il à la surface ? Ça serait un peu fort ! C'est que Lakdar a une manière de se pelotonner [2] discrètement dans l'échec qui le rend très vulnérable.

Hier soir nous parlions de choses et d'autres et surtout du vol récent de la mobylette de Dorothée. Puis, du vol, nous sommes passés à la peur du gendarme, puis au meurtre et, une fois de plus, à la mort.

Lakdar :

« La mort c'est beau, J'ai vu mon père mort. J'étais très jeune. Il venait de mourir dans un accident d'auto. Jusqu'à ce jour je l'avais toujours connu fatigué, les traits tirés, le visage... (il faisait des gestes avec ses mains autour de sa figure. Il voulait dire « avachi », je pense). Mort il était reposé, beau. Ça m'a fait plaisir. J'ai pensé qu'il était heureux. Moi, je n'ai pas peur de la mort. Au contraire... J'ai vu mon oncle mort aussi. Il avait été tué dans une embuscade en Algérie. Il devait être en train de rigoler avec ses copains. Il a sûrement été surpris en train de rigoler parce que quand je l'ai vu mort il rigolait. Toute sa figure rigolait. C'est beau la mort. »

Pendant qu'il nous parlait j'avais l'impression qu'il était en train de nous donner une de ses clés. D'ailleurs l'électrophone [3] s'est arrêté et personne ne s'est levé pour changer de disque.

1. **Inch Allah** : attitude fataliste.
2. **Se pelotonner** : se conforter.
3. **Électrophone** (m.) : tourne-disque.

LA CLÉ SUR LA PORTE

Au moment où le raisin allait être mûr on faisait savoir dans les raïmas et les douars des environs qu'on engageait pour vendanger. Plusieurs centaines d'hommes. Les chefs de chantier étaient là dès la semaine précédant la récolte. Ils vérifiaient les outils, commençaient à composer les équipes. Ils étaient forts, habillés de djellabas blanches, coiffés de chapeaux de paille à larges bords incrustés de morceaux de cuir et bordés de pompons de couleur, rouges et jaunes, parfois violets, les reins pris dans une ceinture de chasse garnie de cartouches pour leur fusil à deux coups. Et accroché sur le côté, dans son étui [1] de cuir rouge, le « mouss », couteau effilé et aiguisé, qui servait à trancher le pain et à régler les comptes.

Les vendangeurs arrivaient ensuite par petits groupes. Certains avaient dû marcher plusieurs jours pour parvenir à la ferme. Au matin, quand on ouvrait le grand portail, on les trouvait installés sous les eucalyptus. C'étaient toujours les mêmes familles qui fournissaient les saisonniers. Ils se retrouvaient entre amis, entre cousins. Ma famille et leurs familles se connaissaient depuis des générations et des générations. Mon oncle et le gérant, assis derrière une table, se mettaient à inscrire dans un registre noir les noms des nouveaux arrivants.

Exclamations et rigolades à chaque homme qui se présentait, presque au garde-à-vous, donnant son nom à haute voix :

« Melkramech, Benboulaïd Benaouda.

— Ça va depuis l'année dernière mon vieux ?

— Ça va, m'sieur Michel.

— Et ton père ?

— Ça va, m'sieur Michel.

— Et ta mère ?

— Elle est morte dans l'hiver m'sieur.

— Aïe, aïe, aïe. Elle était vieille hein ? Chibania besef ?

— Oui, vieille. Chibania beaucoup, m'sieur Michel.

1. **Étui** (m.) : enveloppe ayant la forme de l'objet qu'elle contient.

— Et ton frère ?

— Ça va, m'sieur.

— Il vient pas cette année ?

— Il vient derrière, m'sieur.

— Et ta femme ?

— Ça va, m'sieur Michel. Elle a fait un fils au printemps, m'sieur.

— Eh ben dis donc. Ça t'en fait combien des enfants maintenant ?

— Ça m'en fait cinq. Pass qu'y en a trois qui sont morts avec la maladie. Y reste deux fils et trois filles.

— Ben mon pauvre vieux, qu'est-ce que tu vas faire avec toutes ces pisseuses ? »

Ils commencent à rire et à se racler la gorge pour aller chercher le crachat qui sortira au bon moment.

« Ben mon salaud, on dirait que tu t'emmerdes pas dans ta raïma. »

Rires. On crache une première fois pour se dégager la voix et souligner la plaisanterie.

« Et ta femme elle est fatiguée, maintenant. Tu vas pas en acheter une jeune, par hasard, pour l'aider ! Grand ralouf[1], va ! »

Rigolades, on crache encore.

« J'ai pas l'argent. C'est la misère chez nous, tu sais bien, m'sieur Michel.

— C'est la misère partout, mon vieux, pour tout le monde. On n'y arrive pas. Avec cette putain de guerre par-dessus le marché... La vendange elle est belle, tu vas bien gagner cette année.

— Inch Allah !

— Et puis si tes enfants ou ta femme ils sont malades tu peux les amener ici, madame Germaine elle les soignera.

— Oui, je sais. Merci bien, m'sieur Michel, t'y es comme un frère. »

Au suivant. À chaque fois les claques dans le dos, le mot qu'il faut pour rire, pour montrer qu'on reconnaît, les crachats, la

1. **Ralouf** : porc ; insulte en arabe.

bonne ambiance familiale sans laquelle on n'aurait pas le cœur de se lancer dans le travail exténuant. Il faut savoir le faire. Il y a des patrons qui ne savent pas parler à leurs hommes. On ne s'invente pas un bon maître, cela se transmet de génération en génération.

On m'a appris dès mon plus jeune âge à être polie avec les ouvriers. Je viens les voir avec ma mère dès que le lot [1] est au complet. Comme chaque année, on m'a fait la leçon avant de passer le portail : « Tu leur serreras la main. S'ils n'osent pas tendre la leur en premier tu leur tendras la tienne. Mais surtout ne mets pas tes doigts dans ta bouche et, en rentrant, tu iras directement te laver au savon de Marseille. Directement, tu entends bien ? Si on te donne un bonbon, prends-le, dis merci, mais ne le mange pas. C'est compris ? » « Oui maman. » On m'enfonçait tant bien que mal sur la tête un chapeau de paille devenu trop petit à cause des sachets de camphre que l'on avait cousus à l'intérieur, remède suprême contre les poux [2]. Cela ne servait d'ailleurs à rien car, des poux, j'en attrapais chaque année. Mais c'était la tradition, je devais être « chapeautée ». Et j'allais moi-même chercher mon couvre-chef [3] hygiénique avant de sortir.

Les portes de la cour s'ouvraient devant nous comme un rideau de théâtre, puis nous nous mettions à progresser parmi les groupes d'hommes. Ils connaissaient tous ma mère et ils l'aimaient parce qu'elle les soignait et savait leur parler. Elle avait sa trousse à pharmacie avec elle et dès le premier jour elle inspectait les yeux, les dents, les abcès, les ulcères, les gales [4], les plaies [5]. Elle tenait beaucoup à ce que je l'accompagne dans ses tournées de soins. D'abord cela me faisait accomplir efficacement mon devoir de chrétienne. Ensuite cela me servait de travaux

1. **Lot** (m.) : ici, groupe.
2. **Pou** (m.) : insecte parasite.
3. **Couvre-chef** (m.) : chapeau.
4. **Gale** (f.) : maladie contagieuse de la peau.
5. **Plaie** (f.) : blessure, lésion.

pratiques de Sciences naturelles (elle voulait que je fasse ma médecine). Enfin c'était la meilleure méthode, disait-elle, pour que je voie de près la misère et pour me donner le goût de ne jamais y tomber.

Je connaissais ses mains fraîches et légères, expertes. Je savais qu'elles faisaient du bien et, le soir, pour finir mes prières, silencieusement, je remerciais Dieu de m'avoir donné une mère si bonne et j'ajoutais avec ferveur : « Mon Dieu, faites que je ne sois jamais pauvre, que je ne sois jamais une ouvrière. »

ME VOILÀ, une fois de plus, embarquée dans mon enfance, dans ma jeunesse ! je les rabâcherai [1] jusqu'à ce qu'elles soient usées. Pour trouver, au bout de cette usure, la communication. Pour enlever mon uniforme en loques, mais qui tient toujours, de femme bourgeoise-chrétienne-méditerranéenne, et pour en être à aujourd'hui. Pour en finir avec cet hier qui ne veut pas crever tout à fait. Pour faire tranquillement ce que, hypocritement, on m'interdisait de faire. Pour penser selon moi et non pas comme on m'a appris à penser. Pour être près de mes enfants parce qu'ils m'intéressent, parce que c'est avec eux que ma vie commence.

Et ce n'est pas facile !

Ma mère ! Elle avait le visage aigu d'une cigogne ou, peut-être, d'une huppe [2] proprette [3]. Elle avait des yeux verts et un front clair, comme une plage sur laquelle viendraient se figer les vagues platinées de sa chevelure crantée [4].

Son corps ne ressemblait pas à son visage. Il était fait de miches de pain rondes, onctueuses et odorantes. Il était gros et

1. **Rabâcher** : répéter, revenir sans cesse sur ce qu'on a déjà dit.
2. **Huppe** (f.) : type d'oiseau.
3. **Proprette** : bien propre.
4. **Chevelure crantée** : cheveux ayant une forme ondulée.

appétissant. Il était matelassé [1] dans d'impeccables tailleurs. Je vois ses jambes minces où toute sa jeunesse était restée.

C'est un portrait que je fais grâce à des souvenirs anciens dans lesquels se meut une personne qui serait plutôt une silhouette, un fantôme avec des morceaux manquants, d'autres morceaux aux trois quarts effacés, d'autres très précis, infimes, vivants encore. Ses ongles, par exemple, toujours soignés, son absence quasi totale de sourcils, ses chevilles fines dont la gauche était abîmée par une tache rougeâtre.

C'est comme cela que je la vois. Comme elle devait être quand j'étais petite. Pourtant ce n'est pas comme cela qu'elle était les dernières années de sa vie. Affreuse, inhabitée, ses cheveux sales, ses paupières tombant sur ses joues, ses joues sur ses lèvres, ses lèvres sur son menton, son menton sur sa poitrine. Avachie, désossée, toutes ses structures désintégrées. Une ruine humaine fuyant devant la mort qui la talonnait, qui ne lui laissait plus le temps de trouver un abri. Une mort effrayante, sans dieu, sans cimetière, sans paradis, sans la promesse du repos éternel. Elle partait à la dérive, voulant se livrer à moi qui ne voulais plus d'elle.

Pendant que j'écris, que je ne suis, en apparence, qu'attentive au papier, aux mots, aux pensées qui me serviront à mieux décrire ma vie aujourd'hui, à mieux définir mon penchant pour mes enfants, il y a des guirlandes qui s'accrochent à mes quatre murs, des projections de lanterne magique, du trompe-l'œil, des brumes, des ombres, des fantômes. C'est que quelqu'un joue du piano quelque part dans l'immeuble : un lied de Schubert. Les notes, comme des pointes, pénètrent jusqu'ici, nettes, séparées les unes des autres. À la même heure de l'après-midi, trente ans plus tôt, dans l'automne doré, au moment où la soirée s'ajuste à la journée, quand les bureaux ne sont pas encore fermés, juste après que les enfants sont sortis de l'école, je me vois en train de manger mon goûter : du pain et du raisin. Ma mère joue du piano dans le salon. Elle joue à la fois bien et mal. Elle a fermé

1. **Matelassé** : ici, recouvert, retenu.

les portes vitrées de petits carreaux, comme elle ferme la porte de sa chambre, pour qu'on ne la dérange pas, pour s'isoler du monde, de la maison, de moi. Dans le ciel encore pur comme une source tournent des martinets [1] : flèches noires.

Ma mémoire fait son métier. Les souvenirs se collent les uns aux autres, comme des berlingots [2] dans un bocal. Et moi je suis là, spectatrice émue, attentive à la renaissance de ces vieilles scènes, de nouveau déchirée de la savoir si proche et si lointaine, ayant dans la bouche le goût du pain et du raisin, tâtant presque de la langue la pâte sucrée qu'ils font, voyant la beauté du ciel. Alors que je n'ai plus rien à faire de tout cela. Alors que ma mère est morte sans que cela me touche. Alors que j'ai quarante ans. Alors. que j'aime les Beatles. Alors que mes enfants sont en train de vivre !

Je n'ai été vraiment libre qu'après la mort de ma mère. J'avais trente-huit ans. Finalement, on perd très tard ses parents. J'ai quarante ans passés et je me suis rendu compte que peu de gens de mon âge sont orphelins. J'ai observé des changements considérables chez des gens de cinquante ans et plus qui perdaient leurs parents. C'était toujours, plus ou moins consciemment, une ouverture, une libération. Il me semble que la notion de famille telle qu'elle a été vécue jusqu'à la guerre de 39-45 est périmée [3]. L'accroissement constant du nombre des vieillards abandonnés me paraît être la preuve sinistre d'une faillite. Comment ne pas considérer comme un leurre [4], un anachronisme, une impossibilité, la famille telle qu'on la prône [5] ?

1. **Martinet** (m.) : type d'oiseau.
2. **Berlingot** (m.) : bonbon.
3. **Périmé** : démodé.
4. **Leurre** (m.) : illusion.
5. **Prôner** : vanter.

Ce n'est pas mal ce répit[1] et, en même temps, du fait que je n'ai pas à imposer, quotidiennement, une présence active, agissante, je prends un peu de recul et cela me donne le tournis[2].

Il y a la plus grande partie de ceux qui venaient ici depuis le début de l'année scolaire que je n'essaierai plus d'aider. Il est évident qu'il leur faut plus qu'une simple chaleur, une simple confiance, une simple attention, pour qu'ils s'en sortent. Je sais que je ne peux plus rien faire pour eux. Je n'ai pas les compétences, pas le temps, pas l'argent.

Il faudrait que leurs parents s'en occupent, vraiment, c'est-à-dire qu'ils sortent d'eux-mêmes et surtout de leurs projets d'avenir, qu'ils s'ouvrent sans condition devant leurs rejetons, qu'ils trouvent la communication.

Quand je pense aux vingt dernières années, à celles au cours desquelles mes enfants sont nés et ont grandi, c'est dingue ! La guerre du Viêt-nam, celles d'Algérie, du Pakistan, d'Israël ou de l'Irlande c'est leur histoire.

Le racisme, les marches lunaires, la télé-couleur, la Chine en direct, New York à trois heures d'avion de Paris, la pilule, les gens qui vivent avec le cœur d'un autre greffé[3] dans la poitrine, les armes atomiques, les guérillas, les motos, les records sportifs, tout cela, pour eux, c'est monnaie courante, c'est la vie de tous les jours.

Ce qui est monnaie courante aussi c'est la pollution, la violence, la drogue, le chômage, la misère, l'injustice, la faim au Biafra, les Bahamas, Saint-Tropez, le sexe à la chaîne.

Tout cela en vrac, brossé dans tous les journaux, affiché sur tous les murs de toutes les villes, évident, offert aux yeux des petits qui commencent à regarder, qui ne connaissent que la réalité.

1. **Répit** (m.) : repos, pause.
2. **Tournis** (m.) : vertige.
3. **Greffé** : inséré.

Comment mettre en balance avec cela la Résistance, la guerre de 14, les traditions, la veillée des chaumières, le bas de laine, les délices de l'ancienne religion ?

Comment ? Et pourquoi ?

Pourquoi est-ce que cela est bien ? Pourquoi est-ce que cela est mal ? Pourquoi est-ce que cela est beau ? Pourquoi est-ce que cela est laid ?

La réponse : « Parce que c'est comme ça » ne marche plus. Et c'est à nous les parents d'essayer de comprendre pourquoi ca ne marche plus.

La réponse : « C'est pour ton bien » marche encore moins parce que le bien a changé de place, décalant l'image du monde qui devient floue et chaotique, un peu comme des décalcomanies qui auraient mal pris.

Les informations que, traditionnellement, les parents ne donnent pas, les enfants les obtiennent aujourd'hui à la télé, au cinéma, dans les bandes dessinées, et surtout dans la rue. Aussi les parents ne sont-ils plus ces êtres supérieurs, les uniques détenteurs des connaissances et des mystères.

Mais ces informations ne sont plus données pour éduquer ou pour instruire. Elles sont données pour faire consommer. Elles n'ont plus aucune valeur morale, elles ont une valeur commerciale.

Les vacances arrivent. Elles sont le seul sujet de conversation. Ils organisent des rencontres ici et là. Ils font des projets. Ils sont capables de retourner dix fois au consulat américain pour obtenir leurs visas. Maintenant il ne se passera plus rien d'important ici jusqu'à ce que les vacances soient terminées.

Les vacances sont comme de gros morceaux de gâteau super-vitaminé et super-nourrissant. Comment vont-ils digérer ce qu'ils auront ingurgité pendant ces deux mois et demi ?

Au cours de certains moments de fatigue j'avais envisagé d'enlever les clés de la porte le 1er juillet. Et puis les confidences de Moussia m'ont fait tout remettre en question. Je ne les enlèverai pas.

Moussia, c'est une grande cavale [1] qui est toujours là, c'est une des « groupies », la plus âgée. Elle a un physique de cariatide. Elle passe de la gaieté la plus communicative à la passivité la plus malsaine. Dans ses yeux noirs il y a du rire et de l'anxiété. Il est évident que quelque chose la tourmente, l'habite.

C'est d'elle-même qu'elle s'est mise à parler dimanche après-midi, alors que nous étions toutes les deux seules dans le salon.

« Tu sais ce qu'elle a fait ma mère, quand j'avais douze ans, pour m'expliquer que j'allais avoir mes règles ?

— Non, qu'est-ce qu'elle a fait ?

— Eh bien, elle m'a expliqué qu'elle avait essayé de se faire avorter de moi au début de sa grossesse.

— Qu'est-ce que tu racontes ? Qu'est-ce qu'elle t'a dit ?

— C'était pour me faire comprendre qu'un jour une femme avait ses règles et qu'elle pouvait alors avoir des enfants. Tu vois elle m'a dit qu'elle avait épousé mon père et qu'elle s'était rendu compte après qu'elle ne l'aimait pas. Et même qu'il la dégoûtait. Alors elle voulait demander le divorce, elle l'a demandé même. Mais juste à ce moment-là elle s'est aperçue qu'elle était enceinte. La tuile [2].

« Elle ne m'a pas dit tout de suite qu'elle était enceinte de moi. D'abord elle m'a raconté tout ce qu'elle avait fait pour ne pas garder cet enfant, qu'elle avait pris des comprimés d'aspirine par tubes entiers et puis de la quinine aussi Ça l'a rendue malade mais elle n'a pas fait de fausse couche. Tu sais, elle s'était mariée vierge, complètement oie blanche [3]. Elle ne savait pas ce qu'elle devait faire et elle n'osait pas en parler à ses parents. Ça la foutait mal d'aller leur dire ça alors qu'elle leur avait raconté des tas de cochonneries sur mon père. Alors elle a fait du cheval et du vélo dans les terrains vagues et dans des rues à pavés. Y a rien eu à faire.

1. **Cavale** (f.) : jument de race.
2. **Tuile** (f., fam.) : accident, malchance.
3. **Oie blanche** : jeune fille innocente.

« Je comprenais bien qu'elle me donnait tous ces détails pour me faire comprendre qu'une fois qu'on a un enfant ce n'est pas de la rigolade. Autrement dit qu'il fallait que je réfléchisse à deux fois avant de faire l'amour, maintenant que j'allais avoir mes règles et que j'allais devenir fertile.

« Ça m'intéressait son histoire, je l'écoutais et puis voilà que tout d'un coup elle prend une voix toute sucrée elle me dit : « Quand je te vois maintenant et que je pense à tout le tracas [1] que tu m'as donné, je me dis que tu étais bien accrochée et que je regretterais bien de ne pas t'avoir aujourd'hui. »

« Ça m'a flanqué un coup terrible. Depuis elle me dégoûte. Quand je pense que j'ai été dans son ventre ça me donne la nausée. Maintenant ça va mieux mais quand j'étais plus jeune je l'imaginais toujours sur son vélo ou son canasson [2], et à avaler ses poisons pour me faire foutre le camp. C'est pas marrant de penser à ça.

— N'y pense pas. Ta vie ce n'est pas la sienne. Tu t'en fous de son histoire.

— Non, je ne m'en fous pas. J'ai toujours senti qu'elle ne m'aimait pas. Et pourquoi elle m'a raconté toutes ces salades ?

— Je suis sûre qu'elle n'a pas voulu te faire de mal.

— Moi je pense au contraire qu'elle a voulu me faire crever une autre fois. Et cette fois-là elle y a mieux réussi que la première. Ça a gâché toute mon enfance cette histoire-là.

— Et ton père ?

— Je ne le connais pas.

— Ils ont divorcé ?

— Oui, je suis née pendant la procédure du divorce. Tu vois, il y a des jours où je pense que je n'arriverai jamais à me faire aimer par personne. Je trouve que je suis en trop.

— Tu dramatises. Ta mère a été maladroite et peut-être qu'elle ne t'a pas aimée comme tu le voudrais. Mais ta mère, c'est pas

1. **Tracas** (m.) : ennui, embarras.

2. **Canasson** (m.) : mauvais cheval.

l'univers. Repousse-la comme elle t'a repoussée. Essaie de t'entendre avec elle et si tu n'y arrives pas envoie-la balader. Tu ne vas pas la traîner toute ta vie, tu as autre chose à faire. Dis-toi que tu as de la chance de savoir que tu n'étais pas désirée par tes parents. Les autres, et il y en a beaucoup, tu sais, qui se demandent d'où vient ce malaise entre leurs parents et eux, qui n'arrivent pas à comprendre, qui ne sauront jamais, qui croiront que les parents c'est ça, des gens très gentils mais indifférents, des gens très égoïstes, des gens qui ne savent pas aimer. Alors qu'ils sont simplement des enfants qui sont venus par hasard pour encombrer des gens qui ne les attendaient pas. »

AVANT-HIER je disais que je n'enlèverais pas la clé de la porte pendant l'été et aujourd'hui tout est remis en cause, profondément : on a volé les pièces d'or que j'avais dans un tiroir de mon secrétaire, l'appareil photo de Grégoire et le reste de l'argenterie.

Il est évident que cela a été fait par quelqu'un de la maison, un des jeunes qui ont l'habitude de venir ici. Tout le monde est soupçonnable, sans exception, et celui, celle ou ceux qui ont volé savaient que le nombre les protégerait. Du coup [1], tout le monde devient suspect de vol mais, ce qui est plus grave, tout le monde devient suspect de mépris. Mépris de tout ce que j'essaie de faire, mépris du groupe, mépris des autres.

Que faire ?

D'abord j'ai pensé enlever la clé et mettre tout le monde à la porte, y compris Lakdar et Bertrand le Canadien qui logent ici, qui n'ont pas un sou, pas d'abri, pas de famille. Mais, à ce compte-là, pourquoi ne pas mettre aussi mes propres enfants à la porte ? Pourquoi employer le système des privilèges et des sélections que je déteste ?

Ensuite, j'ai pensé aller au commissariat de police, faire une

1. **Du coup** : c'est pourquoi.

déposition et laisser la justice agir. Cela reviendra au même, on trouvera les empreintes de mes enfants partout et aussi celles des autres. J'en reviendrais au même point ; exclure mes enfants d'un châtiment d'une part et d'autre part les livrer tous à un système que je rejette de toutes mes forces.

Alors quoi ?

Jean-Pierre me manque terriblement. Nous pourrions en parler tous les deux. Je ne sais plus où j'en suis. Je sais seulement que je suis lasse et désemparée [1].

À midi j'ai réuni mes trois enfants, Lakdar, Bertrand et deux ou trois groupies qui étaient là. Je leur ai parlé de mon désarroi [2], de ma déception, des solutions que j'avais envisagées. Grégoire a commencé à dire :

« C'est les Dalton qui ont fait le coup. Ils ne peuvent pas te blairer [3] depuis que tu les as foutus à la porte. Ils ont acheté une guitare et des amplis [4] qui valent un pognon fou. D'où est-ce qu'ils sortent cet argent ? »

Lakdar :

« Ça peut être les Dalton, c'est bien possible. Mais aussi ça peut être Un tel ou Une telle. »

Bertrand :

« Tout ça c'est parce que tu es là. Tu es une adulte. Tu as beau faire, c'est toi la responsable de cette maison. C'est toi qu'on a volée, pas le groupe. Tu connais ceux qui viennent ici, qui salissent de la vaisselle et qui ne la lavent pas. Tu les connais.

— Oui.

— Pourquoi tu crois qu'ils font ça ? Parce qu'ils considèrent, du fait de ta présence, qu'ils sont dans une maison normale et pas dans une communauté de jeunes. Et ceux qui prennent toute la vaisselle sale et qui la lavent, c'est en pensant à toi qu'ils le

1. **Désemparé** : qui ne sait plus où il en est, qui ne sait plus que faire.
2. **Désarroi** (m.) : confusion, angoisse.
3. **Blairer** (fam.) : aimer, apprécier quelqu'un.
4. **Amplis** (m.) : amplificateurs.

font, pour te faire plaisir, pas pour faire plaisir à la communauté. Autrement dit il y en a bien peu qui respectent cette maison comme ils devraient le faire.

— Je crois que tu as raison. Mais je ne peux ni me tirer une balle ni abandonner l'endroit. Je n'ai pas envie de me sauver et surtout Dorothée est encore toute petite, Charlotte n'est pas bien vieille. Je dois rester auprès d'elles.

« Y a-t-il une solution ? Quelle est-elle ? Enlever la clé, reprendre une vie normale de gros bourgeois ? Attendre qu'on sonne à la porte pour l'ouvrir après avoir regardé par l'œil-de-bœuf [1] qui est là ? Faire un tri arbitraire basé sur les apparences ? »

Lakdar :

« Vous croyez que les gens sont meilleurs qu'ils ne le sont en vérité. Vous êtes une idéaliste. Tenez, l'autre jour j'ai demandé à Cécile de laver une tasse qu'elle venait de salir. Vous savez ce qu'elle m'a répondu ? Que je lui cassais les pieds [2], que c'était vous qui donniez les ordres ici, que j'étais un dictateur et que si je n'étais pas content j'avais qu'à foutre le camp. Et Cécile, elle sait bien que je ne sais pas où aller tant que je n'ai pas trouvé du travail. »

Grégoire :

« Elle t'a vraiment dit ça ?

— Oui, vraiment.

— C'est dégueulasse, mais c'est pas de sa faute. Faut voir comment elle vit, dans quelle mesquinerie ! Elle a l'esprit étriqué [3] comme les petits bourgeois à la con [4]. »

Charlotte :

« Est-on vraiment responsable de ce que l'on fait à seize ans ou à dix-huit ans ?

— Je ne le crois pas. »

1. **Œil-de-bœuf** (m.) : petite fissure pratiquée dans une porte.
2. **Casser les pieds** (fam.) : gêner.
3. **Étriqué** : étroit, mesquin.
4. **À la con** (loc. fam.) : mal fait, ridicule.

FINALEMENT la clé est toujours sur la porte mais je ne suis plus certaine qu'elle y restera toujours. Il y a quelque chose de cassé, quelque chose qui ne va plus. Pas la foi que j'ai dans une certaine idéologie mais le choix des moyens à employer pour élever mes enfants dans la liberté et le respect des autres et d'eux-mêmes.

Charlotte et Dorothée partent demain. Je vais me débrouiller pour passer un été calme en attendant la rentrée. Peut-être que je trouverai de nouvelles solutions. En tout cas ce ne sera plus jamais comme avant.

MOUSSIA vient de m'apporter un poème qu'elle a écrit, une sorte de ballade des fœtus mal aimés. Je le recopie :

« À cheval et galope ma fille. Va loin mon bébé. Tu ressens les secousses [1] ? Dis, la petite fille blonde, enfourche mon canasson et en avant dans les détritus, dans les champs de fœtus à gros yeux. Cavalcadons dans les ordures ! Et quand la bête sera fatiguée, pendant qu'elle se reposera, je prendrai un vieux vélo rouillé et je te ferai voir mon numéro de moto-cross dans les montagnes de rebuts [2], dans la pestilence des défécations.

« Est-ce que ça swingue là-dedans ma mignonne ? Est-ce que le liquide chaud dans lequel tu baignes fait des vagues et des clapotis [3] ? Est-ce que tu tremblotes comme de la gélatine ? Vas-y donc, vas-y, déploie tes ailes d'ange et envole-toi. Je te souhaite un beau voyage dans les gaz asphyxiants ! Papillon chéri, libellule d'amour ! Tire-toi comme une fusée ma fille. Comme une fusée je voudrais te voir faire un lent départ, un gros arrachement où tu chercherais ta puissance et puis, ne t'en fais pas, une fois

1. **Secousse** (f.) : mouvement brusque.
2. **Rebut** (m.) : ce qu'il y a de plus mauvais.
3. **Clapotis** (m.) : mouvement et bruit de l'eau agitée de petites vagues.

trouvée ta vie propre, tu t'élanceras dans le cosmos, libre. Tu seras libre, tu m'entends. Légère, insouciante, éternelle, ma belle enfant.

« Encore des élancements, des coups de bélier [1], des coups de boutoir [2], ma minuscule et tendre petite, mon bouton de rose, ma perle fine. J'espère que tu t'amuses dans le manège des autos tamponneuses ! Dis, ça t'ébranle [3] bien ? Avoue que je te fais faire un beau voyage dans ton petit sous-marin doré avec les éclatements des torpilles [4] autour de toi, comme des feux d'artifice. La belle bleue, la belle rouge, le bouquet ! La superbe tempête que je t'offre là ! Du roulis [5], du tangage [6], des tremblements de mer, des cyclones ! Voyez-vous ça ! C'est pas tout le monde qui a le droit à ce traitement. C'est à cause de tes boucles blondes et de tes longues jambes. C'est réservé aux princesses ce traitement, ma bien-aimée.

« Quinine, câline, coquine, mousseline [7], mescaline. Tu vas voir le beau trip que vont te faire faire ces drogues-là quand tu en auras plein le sang. Tu t'étireras dans la guimauve [8] du rêve, tu verras comme ce sera beau le chewing-gum de la chair empoisonnée. Tu seras un Gulliver, une walkyrie, tes membres déliquescents seront comme ceux des pieuvres et, dans un mouvement lent, tu embrasseras un univers rouge. Rouge comme du sang, mon enfant. Du beau sang qui va couler pour purifier. Le sang du sacrifice. Le sang du Christ dont on se soûle à pleins calices. Le sang comme le fleuve Gange. Embarque ma doucette. Monte dans ma gondole tapissée de brocarts. Tu vas voir le bon

1. **Bélier** (m.) : machine de guerre ancienne servant à abattre les murailles.
2. **Coup de boutoir** : coup violent.
3. **Ébranler** : agiter, affaiblir.
4. **Torpille** (f.) : missile sous-marin.
5. **Roulis** (m.) : mouvement transversal d'un navire.
6. **Tangage** (m.) : mouvement d'avant en arrière d'un navire.
7. **... Coquine, mousseline ...** : mots affectueux.
8. **Guimauve** (f.) : pâte molle et sucrée qui s'étire.

gondolier que je suis et comme je vais te guider dans les canaux sombres où soupirent les amoureux. Tu vas voir comme je sais trouver mon chemin au milieu des trognons [1] de pommes et des os grugés [2] de côtelettes. Tu n'as qu'à te laisser faire. Fais-moi confiance que je te dis. Laisse-moi aller, laisse-toi aller, suis mon rythme. Je te projetterai au soleil fillette. Et si le voyage te paraît trop long, si jamais tu te rendors, nous retrouverons le cheval reposé, la bicyclette rouillée, le sous-marin doré, la fusée, la quinine et nous recommencerons la danse fracassante, la bonne danse qui te fait du bien. Surtout ne perds jamais la source du sang petite, qu'elle ne tarisse jamais. Le sang c'est la vie. La vie, tu entends, la belle vie.

« Le soleil enfin. Tu le vois le soleil ! Il te réchauffe le visage. Pas noyée, pas perdue, pas fondue. Sauvée ! Te voilà nue dans le courant du sang, éclairée par la lumière des hommes. Les pommettes et le menton rosis par la vie. Te voilà née à la beauté. Te voilà à la surface. N'est-ce pas que c'est splendide le cadeau que je te fais là ? Je te l'avais promis.

« Maintenant mets-toi au balcon et contemple. Tout est à toi. Tout ! »

1. **Trognon** (m.) : ce qui reste après avoir enlevé la partie comestible d'une pomme, d'une poire, etc.

2. **Grugé** : dépouillé.

Découvrons ensemble ...

... l'ambiance différente qu'il y a chez la narratrice quand elle rentre du Canada

- « Donc je n'agis pas. J'écoute. Je mène ma vie tout en étant extrêmement attentive à ce qu'ils disent et font. » Commentez cette phrase en disant pourquoi, depuis le retour de la narratrice du Canada, « l'ambiance n'est plus la même. »
- Comment le travail à la maison est-il organisé après le départ de Rosy ?
- Quel est le comportement de Grégoire tout de suite après ce départ ?
- « Il a attrapé la maladie du mâle. » Réfléchissez sur cette phrase et dites de quelle façon le comportement de Grégoire a changé à cause de cette « maladie ».

... des témoignages sur la peur de l'échec des jeunes

- De quoi Charlotte a-t-elle peur ? Pourquoi ?
- Soulignez dans le texte tous les mots se référant à la scolarité française.
- Que fait Anne pour trouver du travail ?
- Quelle est l'activité de Grégoire à ce moment de la narration ?
- Que pense Charlotte du travail de son frère ? Justifiez votre réponse.
- Comment Lakdar voit-il son avenir ?

... d'autres considérations sur la société

- De quelle façon la narratrice a-t-elle été éduquée à se comporter à l'égard des ouvriers ?

- « D'abord cela me faisait accomplir efficacement mon devoir de chrétienne. » Comment cette phrase explique-t-elle ce que la narratrice faisait avec sa mère ?
- Est-ce qu'elle redoutait la pauvreté ?
- Soulignez la phrase qui vous fait comprendre jusqu'à quel point elle avait peur de devenir pauvre.
- « Quand je pense aux vingt dernières années [...]. Elles n'ont plus aucune valeur morale, elles ont une valeur commerciale. » Lisez les considérations qu'elle fait sur la société contemporaine de façon à pouvoir faire une liste des aspects positifs et des aspects négatifs.
- Que pense-t-elle du rôle des informations ? Pourquoi ?

... l'histoire de Moussia et la conclusion du roman

- Qui est Moussia ?
- Quel est son problème principal ?
- Pourquoi la narratrice éprouve un sentiment de sympathie à l'égard de cette jeune fille ?
- Pourquoi est-ce que la narratrice décide de laisser la clé sur la porte ? Est-ce qu'elle pense que la clé y restera toujours ?

Analysons le récit

- Lisez le poème de Moussia et dites de quelle façon le style de ce morceau se distingue du reste de la narration :
  - qui la jeune fille fait-elle semblant d'être ?
  - à qui s'adresse-t-elle ?
  - de quelle façon l'emploi de l'impératif augmente le ton dramatique de ce passage ?

- Retrouvez les neuf subdivisions qui composent cette dixième partie du roman et donnez-leur un titre.

Discutons ensemble

1. En partant de ce qui se passe chez la narratrice après son retour du Canada, réfléchissez sur la condition féminine dans votre pays. À votre avis, est-ce que le rôle de la femme a beaucoup changé au cours des dernières années ? Croyez-vous que les travaux ménagers soient exécutés à tour de rôle par les différents membres de la famille ? Parlez de votre expérience en vous aidant des expressions suivantes :

Passer l'aspirateur Faire la vaisselle
Cuisiner Mettre le couvert
Débarrasser la table Faire les courses
Laver le linge Repasser Laver le plancher
Faire les vitres Balayer
Faire les lits Ranger les vêtements

2. « Quand le boulot est con tu le fais pas bien. Et pour avoir des boulots pas cons il faut connaître des gens ou avoir des tas de diplômes. Et encore [...] ». Commentez cette phrase en exprimant votre opinion sur les difficultés qu'ont les jeunes dans la recherche d'un travail correspondant à leurs attentes.
3. « Mais ces informations ne sont plus données pour éduquer ou pour instruire. Elles sont données pour faire consommer. Elles n'ont plus aucune valeur morale, elles ont une valeur commerciale. » Réfléchissez sur ces affirmations et dites quel est votre point de vue à ce sujet.

4. « Me voilà, une fois de plus, embarquée dans mon enfance, dans ma jeunesse ! je les rabâcherai jusqu'à ce qu'elles soient usées. Pour trouver, au bout de cette usure, la communication. » En partant de cette considération de la narratrice, dites quelles ont été les étapes de cette recherche de la communication tout au long du récit. Que pensez-vous de son attitude ? Est-ce que son expérience vous paraît acceptable et/ou significative ? Qu'auriez-vous fait si vous aviez été à sa place ?

Mots à retenir pour ...

... parler de ses espoirs pour l'avenir

Attente — Espérer
Redouter — Craindre — Travail
Satisfaisant — Difficile — Compétition
Diplôme — Formation professionnelle
Capacité — Être à la hauteur de — Échec
Chômage — Chômeur

- Rédigez un paragraphe (50-60 mots) où vous parlez de vos espoirs et de vos craintes pour l'avenir.

Table des matières